망생에서 회생까지

망생에서 회생까지

임주현

이런 사람이 작가여도 되는 걸까

누구나 마음 한편에 버킷리스트를 품고 다니지 않나요? 저에게는 작가라는 일이 그리하였습니다. 내 이름을 내건 예술 작품이라니, 정말 낭만적이잖아요. 그림이나 음악도 근사하다고 생각했지만, 신이 안겨준 건 미미한 글재주뿐이었기에 사실상 선택지는 없었습니다. 그래도 어릴 때부터 재밌는 이야기를 좋아했던지라 제게 주어진 글재주에 무척 감사했답니다.

하지만 예술가에게 가장 큰 불행은 애매한 재능이라고 누군가 그랬던가요. 인생을 내걸기에는 미약한 글재주여서 대략 10년 정도를 꿈만 꿨습니다. 꿈을 억압받는 건 혈기왕성했던 10대 시절에 가장 괴로웠습니다. 인문계 고등학교에 진학해서 문예창작과 입시를 준비하고 싶었지만, 넉넉지 못한 가정형편 때문에 특성화 고등학교로 진학해야만 했거든요. 그렇게 친구들 따라서 취업 준비하고, 이른 나이에 직장 생활하면서 물 흘러가듯 살았답니다. 겉으로는 평온해 보였지만, 속은 썩어 문들어갔어요.

그러다 더는 마음이 남아나지 않았을 때, 죽기로 했습니다. 모든 문을 꼭꼭 잠근 자취방 안에서 눈물 콧물 흘리며 번개탄에 불 피운 기억은 아직도 생생합니다. 그 무렵 제가 정말로 죽었더라면 이 책이 나오진 않았겠죠? 지금 이 글을 읽는 여러분도 이미 짐작했듯이 저는 죽지 못했습니다. 그날 방영하던 드라마가 너무 보고 싶었거든요. 두려움에서 비롯된 핑계를 어린 이유로 죽음을 보류했습니다. 그리고 드라마 세계로 도피했죠. 그날 따라 가여운 처지에 놓여있던 주인공에 몰입해서 펑펑 울었습니다. 그때 깨달았습니다. 저는 죽고 싶은 게 아니었습니다. 다만 이렇게 살고 싶지 않았던 거였어요. 그리하여 평범한 직장인이던 저는 작가로 살겠다고 굳게 결심했습니다.

이 책은 애매한 재능을 가진 제가 작가를 꿈꿨던 순간부터, 드라마 보조작가로 일하다 끝내 방송업계에서 도망치기까지의 사건과 감정이 녹아 있습니다. 만약 독자분들 중에 드라마 보조작가 지망생이 있다면 미리 말하고 싶은 게 딱 한 가지 있습니다. 제가 겪어보니, 작가는 꿈이 아니라 직업이더군요. 그러니 자그마한 환상 같은 게 있다면 미리 버려두는 것이 정신건강에 좋겠습니다. 제가 그러지 못해서 힘들었거든요.

정말 간절한 소원은 이루어지지 않는 것 같습니다만, 반대로 간절함을 어느 정도 내려두면 소원을 쟁취할 기회가 생기는 것 같습니다.

제가 그리하였습니다. 작가가 될 기회를 간절히 염원할 때는 보이지도 않았는데, 수많은 직업 중의 하나로 여기게 된 순간부터 쏟아졌습니다. 이번 단독 에세이 출간도 그 기회 중 하나였습니다. 글 ego에서 단독 에세이 출간 프로젝트를 진행하지 않았더라면, 아마 이 원고가 세상에 나오는 기적은 없었을 겁니다.

이 책이 완성되기까지, 참 많은 분의 도움이 있었습니다. 먼저 출판의 기회를 주신 글 ego 임직원분들, 끝까지 원고를 완성할 수 있도록 독려해주신 김유진 선생님과 단독 출간 3기 동기 여러분, 진심으로 감사드립니다. 의지박약이 올림픽 종목이었다면 국가대표로 선정될 제가 책 1권 분량의 원고를 완성한 것은 모두 여러분의 덕분입니다. 그리고 드라마 작가를 구체적으로 꿈꾸게 하여주신 MBC 박상훈 피디님, 드라마 작가 지망생으로서의 시작을 도와주신 권도희 작가님, 그리하였습니다 보조작가 생활을 함께해준 휘 작가님과 리 작가님에게도 감사의 인사 드립니다. 여러분이 아니었다면 저는 아마 드라마 작가를 지금까지 꿈꾸진 못했을 겁니다. 작가가 되겠다며 서울 상경하겠다는 딸내미를 응원해준 김 여사와 임 사장, 원고 마감 직전 미치기 일보 직전에 치킨을 나눠주던 오빠 섭, 격동의 시기에 곁을 지켜준 정신적 지주 진, 여수 낮바다를 앞에 두고도 노트북 부여잡고 원고 쓰는 나를 관대하게 이해해준 룸메이트 회에게도 진심으로 감사합니다. 제게 힘이 되어준 모든 분의 이름을 열거하기엔 원고 분량이 한정적이라는 사실이 조금 밉습니다. 하해와 같은 자비를 가진 여러분이 양해해 주세요.

사실 저는 누군가에게 책으로 교훈을 줄 만큼 대단한 사람은 아닙니다. 겉으로는 멀쩡한 사람인 척하지만, 실상은 콤플렉스 덩어리입니다. 하지만 저를 구성하는 수많은 콤플렉스가 작가로서는 큰 재산이 될 수 있음을 매일매일 느낍니다. 이런 사람이 작가로 성공하면 대한민국 방송 및 출판업계가 위기에 도래한 게 아닐까 싶습니다만... 이런 사람이 작가일 수도 있지 않겠어요? 원래 세상에는 별별 이상한 일이 다 일어나기 마련이니까요.

스스로를 [망]한 인[생]이라 치부하는
여러분의 [회]심의 인[생] 역전을 응원합니다
임 주 현

차 례

1장

로맨스

로맨스에서 빠질 수 없는 요소가 딱 한 가지가 있다. 바로 주인공과 사랑을 이루는 상대 역할이다. 내 로맨스의 상대는 누구일지. 어릴 때부터 수없이 그 상대를 꿈꾸며 찾아 헤맸다. 그런데 왜 이렇게 개떡같은 놈들만 꼬이는 거지?

연예계와 연애계는 한 끗 차이다

초등학교 4학년이 될 무렵, 내 꿈은 슈퍼주니어 규현의 와이프가 되는 것이었다. 그러나 머지않아 그건 죽었다 깨어나도 일어날 수 없는 일임을 깨달았다. 규현의 와이프가 되고자 하는 사람만 수두룩 빽빽했기 때문이었다. 심지어 국적도 가지각색이었다. 이후 중학교 1학년이 되던 해에 내 꿈은 연예인 친구를 사귀는 것이었다. 그 무렵에는 지피베이직이라는 그룹이 활동하고 있었는데, 그 그룹의 멤버 막내가 나와 동갑이었다. 나랑 또래인 애가 데뷔도 하는 때가 되었구나. 피타고라스 정리 하나에 끙끙대는 나와 달리 또래 연예인은 어른스러워 보여, 동경심에 친해지고 싶다는 생각이 들었던 것 같다. 그러다 지피베이직의 활동이 뜸해지고, 내 인생에서 가장 바쁜 시절을 보내던 고등학교 3학년 무렵에는 연예인과 함께 일하는 게 꿈이었다. 비록 가정형편이 좋지 않아, 학기 초에는 장래희망을 회계 사무직으로 써서 제출하긴 했지만, 언젠가는 반드시 방송계에서 연예인들과 함께 하하 호호 일할 거라며 야심을 품었다.

그렇게 시간이 지나 스물다섯, 제작사의 보조작가로 입사하며 그 꿈을 이뤘던 삶은 얼굴도 모르는 남자 주연배우의 생일을 축하하겠다고 생일케이크에 불을 붙이다가 내 엄지를 데이는, 그런 구차한 삶은 아니었던 것 같은데 말이다. 본인을 위해 엄지손가락을 희생당한 줄은 전혀 모르는 남자 주연배우는 자신의 인스타그램에 올려야 한다며, 생일케이크를 전달해주는 상황을 몇 번이나 연출하게 했다. 이렇게만 보면 '그 연예인 누구야? 재수 없어.'라고 생각할 사람도 몇몇 있을 것 같다. 하지만 모두가 잘 알고 있겠지만, 연예인도 사람이다. 연예인이라고 대단한 인격자들은 아니라는 것이다. 물론 나도 그렇고 말이다. 하지만 티브이에서 단편적인 모습만 잘 편집되어 나오는 사람들이라서 그런 걸까. 막상 연예인들을 보면 그 모습이 전부일 거라는 생각을 막연히 하게 됐다. 그래서 매번 제멋대로 기대하고, 제멋대로 실망했다. 드라마로 방송계를 학습한 폐해가 여실히 드러나는 아기 보조작가 시절이었다.

근무한지 1년쯤 지났을 무렵에는 그래도 걸음마는 걷기 시작했다. 연예인을 직장상사로 보는 태도를 익히게 된 것이었다. 내가 관심 있는 배우 이군이 유력 캐스팅에 올라와도 포커페이스를 유지하며 속으로만 삼바 춤을 추는 요령을, 그러면서도 그 배우의 인격과 능력을 객관적으로 보려고 애쓰는 법을 터득했다. 생각에는 감정이 개입하기 때문에 마냥 객관적일 수는 없었지만, 그래도 의식하면서 일을 하는 것과 고삐 풀린 망아지처럼 감정에 휩싸이는 것은 천지차이였다.

"우리 이군 못 쓰게 되었다."

"네? 왜요?"

"방송국 임원분 따님이 싫단다. 아이돌 김군으로 꽂아달라던데."

그래도 계약 직전에 방송국 임원분 따님의 남자 취향으로 캐스팅 불발되었을 때는 정말 하늘이 무너지는 줄 알았다. 찔끔 새어나오려는 눈물을 애써 삼키며 나는 말했다.

"그러면 김군은 어때요?"

"김군은 내년 스케줄까지 꽉 차있단다."

빌어먹을! 드라마 기획이 엎어질 위기에 처하자, 나는 얼굴도 모르는 방송국 임원분의 따님을 저주할 수밖에 없었다. 에라 미친년. 자기가 사귈 것도 아닌데 왜 남자 취향을 따지고 지랄이야? 그리고 걔는 내 취향이거든! 얼굴로 까인 건 이군이었지만 괜히 내가 모욕당하는 느낌이었다. 그러나 분개하는 나와 달리 메인 작가님은 빠르게 체념하시며 다음 캐스팅 명단을 뽑아오라고 하셨다. 많이 익숙해졌다고 생각했는데, 이 상황이 불합리하다 생각하며 분노하는 나는 아직 아기 보조작가였다.

모든 업계가 대개 그렇지만, 연예계는 특히나 이런 황당무계한 일들이 많이 발생했다. 배울 만큼 배웠다고 자부하는 돈 밝히는 꼰대들과 너무 어린 시절부터 연예인 준비만 하여 사회성을 발달시키지 못한 '어른 아이'들의 콜라보 때문이 아닐까 싶다. 그 둘은 각각 상대해도 피곤한데, 합쳐져서 시너지 효과까지 발생했을 때는 정말 이루 말할 수 없는 대참극이 일어난다. 그 둘 사이에 낀 대다수 정상인들만 죽어나가는 거다. 그리고 그 죽어가는 정상인은 나와 휘였다. 휘는 당시에 같이 일하던 보조작가이자, 지금까지도 연락을 이어오고 있는 친구다. 연출 전공이던 휘는 촬영장에 나가기 싫다는 이유로 작가로 전향한 경우였다. 그래서 카메라나 촬영장 분위기에 어느 정도 익숙했는데, 제작사에서 인력이 부족하다는 이유로 간간이 휘에게 촬영 보조를 부탁하였다. 울며 겨자 먹기로 촬영장에 나간 휘는 앞에서 언급한 남자 주연배우와 그 상대역인 여자 주연배우의 촬영 비하인드 녹화를 진행했다. 중간중간 배우들이 촬영을 기다리는 시간을 이용해서 녹화해야 했기에 거의 24시간 대기했다.

한번은 여느 때처럼 배우들의 촬영이 끝나기를 기다리고 있는데, 남자 주연배우가 픽 쓰러졌다. 정확한 사유는 밝혀지지 않았지만, 콘서트 준비와 드라마 촬영을 병행하며 축적된 피로로 말미암은 과로로 추정되었다. 머지않아 포함하여 촬영장에 있는 모든 사람이 놀람을 감추지 못하고 있던 그때였다. 당연히 놀랄 수밖에 없는 상황이지만, 유독 기겁하며 패닉에 빠진 여자 주연배우가 남자 주연배우에게 달려들었다.

"오빠! 정신 차려! 저기요! 오빠가 쓰러졌어요!"

알고 보니 두 사람은 몰래 사귀던 사이였다고 한다. 아니, 이걸 몰래 사귀고 있다고 해도 되나. 촬영장에 있는 스태프들이 보기엔, 대놓고 '우리 연애해요'라는 분위기였다고 한다. 남자친구가 쓰러지니 얼마나 걱정이 컸겠는가. 그래, 연예인도 사람이니 그럴 수 있지. 연애도

할 수 있고, 놀랄 수도 있지. 그때는 그렇게 대수롭지 않게 넘어갔다.

　문제는 그다음에 일어났다. 그날 이후로 남자 주연배우와 여자 주연배우는 연애 사실을 숨기지 않기로 했던 걸까? 마지막 씬 촬영 당일, 메인 작가님은 남자 주연배우로부터 전화 한 통을 받았다고 한다.

　"누나, 우리 엔딩 바꾸면 안 돼?"

　황당무계한 소리에도 메인 작가님은 그래도 한번은 참으셨다.

　"왜?"

　"아니, 여주가 엔딩이 불편한가 봐. 새로운 여자 나오면서 끝낸다는 게 개연성 없기도 하고... 그리고 알잖아. 나 걔랑 썸 탔던 거."

　여기서 잠깐 짚고 가야 할 사실이 두 가지 있다. 한 가지는 남자 주인공과 여자 주인공의 사랑이 이루어지려는 순간에 남자 주인공의 여자 지인이 등장하면서 시즌2를 암시하는 것이 엔딩 내용이라는 사실. 그리고 또 하나는 여자 지인 역을 맡은 여배우와 남자 주연배우는 썸을 탄 게 아니라, 남자 주연배우 혼자서 구애하다가 차였다는 사실.

　"여주가 엔딩 안 바꾸면 촬영 못 하겠대. 응? 누나가 이해해주라~"

　거기서 메인 작가님은 폭발하셨다. 당장에 여자 주연배우의 매니저에게 전화를 건 메인 작가님은 소리를 고래고래 질렀다. 안방에 계신 메인 작가님의 목소리가 거실에서 작업 중인 나와 휘의 귀청이 떨어져 나갈 정도였으니, 말 다 했다.

　"그렇게 작품 많이 한 곽 선배도 내 엔딩에 토를 안 달았는데, 지가 뭔데 엔딩을 바꾸라 마라야! 야, 연애질하던 뭐를 하던 상관없는데 공과 사는 구분해야지!"

우리에게 화 한 번 낸 적 없던 작가님이 그렇게 분개하실 수 있다는 것을 처음 알았다. 휘와 나는 서로 눈치를 보면서도 귀를 쫑긋했다. 이 촌극의 결말이 어떻게 되는지 궁금한 마음이 너무 컸기 때문이었다. 중간 과정 다 자르고, 결론부터 말하자면 엔딩은 바뀌지 않았다. 물론 서로 누나·동생 할 만큼 돈독한 사이를 유지하던 메인 작가님과 남자 주연배우의 관계는 아주 박살이 났다. 저렇게 공과 사를 구분 못 하는 사람도 있구나. 당시에 나는 재밌는 해프닝이라 생각하며 웃어 넘겼다. 그래서 벌 받은 걸까. 공과 사는 구분해야 되지 않느냐고 열 불을 내던 메인 작가님은 연애를 시작하면서 완전히 180도 바뀌어버렸다. 남자친구를 업무 단톡방에 초대하고, 심지어 대본 모의 리딩에 남자친구를 보조작가라 소개하며 자리에 앉히는 메인 작가님을 보며 나는 쓴웃음을 삼켰다. 여기가 연예계인지, 연애계인지. 알다가도 모르겠다.

사람들은 왜 이렇게 연애에 미친 걸까? 물론 이렇게 말하는 나도 연애하고 싶어서 안달이 나긴 했다. 멋 모르는 초등학생 때부터 슈퍼주니어 규현과 결혼하고 싶다고 외치고 다닌 걸 보면 말 다 했지 않는가. 인간은 태초부터 DNA에 연애라는 행위를 의무적으로 시행하도록 각인이 된 걸까. 연애에 눈이 멀어 공과 사의 경계가 흐려진 주변 사람들 보며 덜컥 겁이 났다.

나도 연애를 하게 되면 저렇게 이성도 자아도 잃어버릴까?

아, 너무 싫다.

그가 내 가슴 사이즈를 물었을 때, 그는 나에게로 와서 개새끼가 되었다

우리는 이름에 많은 의미를 부여한다. '내가 그의 이름을 불러주었을 때, 그는 나에게로 와서 꽃이 되었다'는 김춘수 시인의 작품 '꽃'의 구절처럼 말이다. 부모들은 갓 태어난 아이의 이름을 짓기 위해 적지 않은 돈을 들여 작명소에서 이름을 받아오고, 연인들은 자신들만의 독창적인 애칭을 짓기 위해 두뇌를 풀 가동하기도 한다.

처음으로 보조작가로 참여한 로코 드라마 속 여주인공 이름을 짓기 위해 밤낮으로 고민했던 여름을 기억한다. 아직 태어나지 않은 내 자식 이름보다 더 공을 들였다 해도 과언이 아닐 정도였다. 드라마 작가를 꿈꾸는 당찬 여주인공에게 가장 적합하면서 흔하지 않은 이름을 짓기 위해 메인 작가님과 보조작가인 휘와 나, 총 3명의 두뇌를 풀 가동했다. 돌이켜 보면 우리는 이름도 정해지지 않은 여주인공을 참 많이 사랑했던 게 분명하다. 이렇듯 '이름 짓기'라는 행위는 많은 에너지를 소모한다. 그렇기에 모든 이름에는 많은 애정이 함유되어 있다. 애정이 없는 이에게는 이름조차 붙이지도 않는다.

방송업계의 불황으로 보조작가 일을 그만둔 직후. 칵테일을 마시며 모처럼 친구와 분위기를 잡고 아가씨 놀이를 즐기고 있던 무렵. 나는 친구 진에게 선언했다.

나, 이제 슬슬 연애해야겠어.

그러자 진은 흔쾌히 "그러면 다음 주에 헌팅포차 고?"라며 먼저 물꼬를 터주었다. 내가 바라던 바를 아주 잘 파악해주었다. 그렇게 진과 나의 헌팅포차 여정을 갑작스럽게 성사되었다. 진과는 그다음 주 금요일에 바로 만났다. 어깨와 다리를 다 드러난 오프숄더 원피스로 독기를 뽐내며, 건대 거리를 거닐던 나는 오랜만에 시끌벅적하게 놀 생각으로 꽤 들뜬 상태였다. 진과의 데이트 필수 코스 중 하나인 즉석 사진을 찍으러 가는 길이었다. 사진 찍고 탕후루를 먹을까? 난 귤 탕후루가 제일 좋아. 영양가 없는 대화를 나누며 걸어가고 있는데, 왼편에서 웬 남자가 불쑥 튀어나왔다. 나는 드럭 스토어에서 쇼핑을 마친 남자가 밖으로 나오는 길인 줄 알았다. 그만큼 너무 갑작스러웠다. 한 3초 정도 눈이 마주쳐 '이게 뭔 상황이지?'하며 상황 파악하던 그때였다.

"남자친구 있으세요?"

"아니요?"

"그럼 번호 주실 수 있으세요?"

얼빠인 나는 상대에 대한 외모 분석이 이미 끝난 상태였다. 느리게 고개를 끄덕였다. 그러자 남자는 환하게 웃으며 짊어지고 있던 보부상 가방을 바닥에 내려두며 주섬주섬 핸드폰을 꺼냈다. 진은 옆에서 내 어깨를 찰싹찰싹 때리며 "어머 어머..."하며 멍한 정신의 나 대신 이 상황을 마음껏 즐겼다. 멀끔한 외모에 대충 봐도 180은 거뜬히 넘는 훤칠한 키에 나름 괜찮게 차려입은 패션. 온갖 로맨스 드라마와 순정만화를 섭렵하여 걷잡을 수 없이 눈이 높아진 내 기준에 충족되는 사람이었다. 이 사람과는 연애를 잘할 수 있을 것 같다. 그렇게 생각한 나는 남자와 연락을 주고받았다. 편의상 이 남자를 원이라고 하겠다.

알고 보니 원은 연극영화과 전공으로, 한때 배우를 준비했었다. 그러나 배우로서의 한계를 깨닫고, 현재는 본업인 쇼핑몰 운영과 동시에 부업으로만 하고 있다고 했다. 같은 업종에서 일하다 업계 불황으로 일을 그만두고, 쇼핑몰에서 정산 일을 하는 나와 겹쳐 보여 더더욱 친근감이 생겼었다. 어쩌면 정말 우리는 잘 맞을 수도 있겠다. 기대감에 부풀며 첫 데이트 날을 기다렸다.

하지만 첫 데이트 날, 쓰일락 말락 했던 콩깍지는 완전히 벗겨졌다.

"너 팔에 문신 뭐야? 자해했어? 아니라고? 아~ 다행이다. 나 우울증 있는 사람 진짜 싫어하거든. 너무 한심하지 않아?"

"너 좋아하는 알파벳이 뭐야? 어? 말의 의도가 뭐냐고? 어... 그러니까... 너 가슴 사이즈가 몇이야?"

그날 원이 쓴 어록을 하나하나 열거하자면 팔만대장경 급이지만, 손 아프니 더 쓰지 않아도 될 것 같다. 인생 최악의 데이트를 마치고 온 나는 원에 대한 생각으로 미쳐버리기 직전이었다. 회복 양상을 보이던 정신과 진료에서도 담당의 선생님을 앞에 두고 펑펑 울기만 했다.

"그 사람이 한 말들이 계속 떠올라요. 누구의 눈에도 띄고 싶지 않아요. 그냥... 사라지고 싶어요."

덕분에 점차 줄어가던 약의 용량은 두 배로 늘어났다. 한 손에 가득 담긴 약을 목구멍으로 털어놓을 때마다 원이 생각났다. 그럴 때마다 나는 혼자 읊조렸다.

"개새끼. 뒈져라."

어느새 나는 원에게 '개새끼'라는 이름을 붙여준 상태였다. 틈만 날 때마다 나는 원을 생각하며 그를 저주했다. 하지만 저주의 말을 듣는 건 항상 원이 아닌 나였다. 그래서 이렇게는 못 살겠다 싶어 원에게 연락했다. 보드게임을 좋아하는 원의 성격을 노렸다.

[루미큐브 한 판 붙어]

역시나 원은 단순했다. 그저 좋다며 흔쾌히 약속을 잡았다. 원은 첫 번째 데이트 때와 마찬가지로 자기 집 근처에서 보자고 했다. 참고로 원의 집은 우리 집에서 지하철로 1시간이 걸렸다. 심지어 환승도 해야 했다. 턱 끝까지 차오르는 '개새끼'라는 단어를 애써 억누르며 "그러면 오빠가 오늘 다 사는 거다?"라고 답하고, 원의 집 근처로 향했다. 이왕 이렇게 된 김에 두 배로 불어난 진료 비용만큼 뜯어내야겠다 생각했다.

두 번째 데이트 날이 되었다. 첫 번째 데이트 때는 원이 20분 지각했기에, 이번에는 참지 않으리라 다짐하여 원에게 메시지로 독촉했다.

[늦으면 1분당 1대]

[원: 이제 내려 ㅎㅎ]

[원: 이번에는 지각 안 했다?]

이 남자는 아무것도 모르고, 그저 해맑기만 했다. 근데 그날 밤이 가을치고는 추워서 내 대가리가 돌아버린 걸까. 그 모습이 얄미우면서도 귀여웠다. 자신도 이해할 수 없는 이중적인 감정에 혼란스러울 무렵이었다. 지하철역에서 나오는 원을 발견했다. 원은 핸드폰으로 무언가를 열심히 찾고 있는 모습이었다. 나는 원에게 다가갔다.

"웬일로 안 늦었었네?"

"어? 어... 야, 근데 나 왜 너 전화번호가 없지?"

그 말을 듣는 순간, 누군가 소주병으로 내 뒤통수를 때린 듯한 느낌을 받았다. 정신이 멍해졌다. 원은 자신도 이해가 안 된다는 듯 고개를 갸웃거리다가 "나 번호 좀."이라고 말하며 핸드폰을 건넸다. 에이, 정말로 저장도 안 되었겠어? 애써 현실을 부정하며 원의 핸드폰에 내 전화번호를 입력했다. 정말로 없었다. 이 상황이 어이가 없어서 그저 웃음만 터트렸다.

그때 깨달았다. 이 관계에 신경을 쓰고 있었던 건 나 혼자였다는 사실을. 원에게는 나는 그저 이름 붙일 가치도 없는, 한번 데리고 놀기 좋은 여자1 정도였음을 말이다. 그 사실을 알게 되자 두 번째 데이트에서 제대로 복수하겠다는 나의 의지는 순식간에 식어버렸다. 원과 나는 저녁 식사를 하고, 술기운에 들떠서 잠시 산책 좀 하다가, 원이 미리 잡아둔 모텔에 가서 같이 잠들었다. 연인이나 할 법한 짓을 다 했지만, 이제 나는 원에게도, 이 관계에도 어떠한 이름을 붙이고 싶지 않았다. 그렇게 다음날, 아무렇지 않게 "다음에 보자!"라고 인사한 원과 나는 다시는 만나지 않았다. 이 글을 쓰고 있는 지금까지도.

헌팅포차에서 처음 만나는 남녀는 서로 거짓말을 한다. 키, 나이,

직업, 심지어는 이름까지도 말이다. 낯선 사람에게 자신의 정보를 공개하지 않겠다는, 사생활 보호 차원에서의 이유가 클 것이다. 요즘 세상은 하도 위험한 사람들이 판치니 말이다. 이렇게 지어진 이름에도 애정을 함유되어 있다. 이 경우에는 타인이 아닌, 자기 자신을 향한 애정이라고 봐야 할 테다. 우울증 환자를 혐오하고, 여자를 성적 대상화의 대상으로만 보는 원도 자기 자신만큼은 많이 사랑했나 보다. 대만 국적 영주증을 가진 왕씨라는 것을 굳이 속이고, 강원도 원씨 43대손이라 강력히 주장했으니 말이다.

앞으로는 와이파이만 공유하자

아주 잠깐 일일 드라마 보조작가로 참여한 적이 있다. 근무 첫날, 메인 작가님은 첫 과제로 '친구와 바람난 남편에게 소소한 복수를 하는 법'에 대해 생각해보라고 하셨다. 폭행 사주, 고발 등의 대단한 복수가 아니라 소소한 복수여야만 했기에 구상에 더욱 어려움을 겪었던 기억이 있다. 커서가 깜빡거리는 텅 빈 한글 문서 프로그램 창을 보며 계속 머리를 굴렸다. 소소한 복수? 그게 뭔데. 나는 누군가에게 그렇게까지 화가 난 적이 드물었기에, 복수 방법에 대해서도 생각해본 적이 없었다. 결국, 셀프에 가까운 가정법을 사용하였다.

'만약 내가 결혼을 했어. 근데 남편이 제일 친한 친구와 바람이 났어. 그 사실을 전혀 모르고 있다가, 둘이 키스하는 모습을 호텔에서 발견...'

아. 순간 탄식이 절로 새어나왔다. 꼬리에 꼬리를 무는 생각으로 겨우 잊고 있던 얼굴을 떠올려 버린 것이었다. 내가 너를 어떻게 잊었는데. 깊은 한숨을 내쉬었다. 가슴이 갑자기 답답해져, 과제를 해결할 의욕마저 잃어버린 나는 노트북 자판에서 두 손을 뗐다.

이날 떠올린 사람은 내 오랜 친구였다. 현재진행형은 아니기에 한때 친구였다고 말하는 게 맞을 듯하다. 이 친구를 최양이라 하겠다. 최양은 중학교 1학년 때부터 스물두 살까지 연락했던 절친한 친구였다. 서로의 집을 불편함 없이 왕래했고, 최양의 친구가 내 친구고, 내

친구가 최양의 친구였으며, 그야말로 모든 사생활을 공유하는 사이였다. 서로 다른 고등학교에 진학하고 나서는 거리감이 조금 생겼었지만, 졸업 이후에는 언제 그랬냐는 듯 껌딱지처럼 서로 찰싹 달라붙은 채로 함께 지냈었다.

"주현아. 내 친구가 너 맘에 든다는데, 소개받아볼래?"

누구보다 신뢰하는 친구가 소개하는 남자는 이름조차 몰랐지만 믿음이 갔다. 그렇게 최양의 친구 한과 만나게 되었다. 한은 최양과 같이 유쾌하고 밝은 성격을 가지고 있었다. 그래서였을까. 나와는 정반대 성향이 있었지만, 묘하게 끌리는 사람이었다. 같이 있으면 친구처럼 즐거웠고, 그러면서도 동시에 애정표현은 확실했다. 단점이 아예 없는 건 아니었으나, 이런 애라면 잠깐이라도 사귀어도 좋겠다는 생각이 들었다. 그래서 한과 만난 지 얼마 안 되어 연애를 시작했다. 그리고 웃기게도 만난 지 얼마 안 되어 연애를 끝냈다. 처음 만났을 때는 호감에 눈이 멀어 몰랐지만, 서로 성향이 다르다는 건 양날의 검이었다.

잠깐 만났다 헤어진 사이였기에 큰 감정은 없었다. 너도 여기까지인가 보구나. 그러려니 하며 친구들과의 안줏거리 중 하나로 삼았다. 내가 그런 애를 만났다. 근데 5일 만에 헤어졌어. 참 웃기지? 더도 말고, 덜도 말고, 딱 그 정도에 그치는 안줏거리였다. 그런데 최양은 당사자인 나보다 더 분개했다.

"그딴 말을 지껄여? 그거 완전 미친놈이네. 야야, 버려!"

내 입으로는 막상 내뱉지 못하는 말들을 시원하게 해주는 최양을 보며 참 많이 위로가 됐었다. 그래서 아주 조금이지만, 그래도 남아있긴 했었던 실연의 아픔이 빠르게 추슬러 졌다. 최양과 술 먹으며 이별을 완전히 털어내고, 나는 새로운 사람과 연애를 시작했다. 내가 연애를 시작할 무렵에 최양도 같이 아르바이트하던 동생과 눈이 맞았었다. 우리는 종종 각자의 남자친구를 데리고 같이 술을 먹으며 시간을 보내기도 했다. 그렇게 즐거운 날만 계속될 줄 알았는데. 영원한 건 없다는 어느 가수의 노래 가사는 정말이었다.

연애한 지 5개월이 넘어갔을 무렵이었을까. 좋아서 만났던 남자친구와는 서로에 대한 악감정만 남은 채 헤어지게 되었다. 장거리 연애이기는 했지만, 함께했던 시간이 적지는 않았기에 그 사람이 없는 시간을 무얼 하며 보내야 하나 한참 방황했다. 그러다 무의미하게 사는 건 아닌 것 같아 마음을 굳게 먹고 휴대폰을 꺼냈다. 클라우드에 저장된 남자친구와의 사진들을 전부 삭제하기 위해서였다. 하나하나 사진을 지워가는데… 왜 다들 그런 적 있지 않은가. 방 청소를 하다가 우연히 일기장을 발견해서 청소하기를 멈추고 추억 속에 빠져드는 경험 말이다. 잊고 있던 사진들을 하나씩 발견하며 추억에 조금씩 빠져들기 시작했다. 대다수 사진들이 최양과의 기억이 얽혀있는 것들이었다. 그래, 이런 일도 있었지. 오랜만에 기분 좋은 시간을 보내고 있는 그때였다. 나는 언젠가 실수로 캡처한 것으로 추정되는 사진 파일을 발견하고, 멈칫했다.

[최○○님과 한○○님은 연애 중]

구 남자친구 한과 최양의 연애 중 알림이 떠있는 사진이었다. 순간

황당해서 한참 동안 사진만 바라보았다. 그러다 그 사진 파일을 보내며 최양에게 메시지로 물었다.

[너 이거 뭐야?]

[최양: 아...]

[최양: 나 원래 남자 많이 만나잖아 ㅠ]

[최양: 내가 걔랑 만났다는 사실을 잊어버렸어]

[최양: 나중에 생각나서 말할까 했는데]

[최양: 걔를 좋아하는 거 같아서 말 못했어 ㅠ 미안...]

사귄 사실을 잊을 수 있다고? 그 말 자체는 신뢰가 가지 않았다. 하지만 그 말을 한 사람이 최양이었기에 믿으려고 노력할 수밖에 없었다. 그래, 쟤 남성편력 내가 다 아는데... 그래, 그럴 수 있지... 그래... 근데 그럴 수 있나? 정말로? 아무리 이해해보려 해도, 얼토당토않은 말이라는 건 달라지지 않는 사실이었다.

사실 진위를 파악해야 이 답답한 마음이 풀릴 것 같았다. 고민을 하다, 최양과 같은 고등학교를 나온 배양과 날을 잡아 만났다. 그리고 배양에게 이 사실을 털어놓았다.

"최양이 그걸 몰랐다고? 그럴 리 없는데. 너한테 말을 안 해줬어? 걔가 너한테 한 소개해준다고 해서 내가 한번 물어봤어. 그래도 되는 거 맞느냐고. 근데 걔가 그러던데."

지가 좋다는데 뭐 어쩔 거야. 여기서 말하는 '지'가 내가 아닌 한이라는 걸 단번에 알 수 있었다.

"한이 너 만나기 전까지 걔네 섹파로 지냈을걸? 너 진짜 몰랐어?

난 네가 알고 만나는 줄 알고 속도 좋다 생각했는데..."

'섹파'라는 단어가 내 귀에 들어온 순간 이후로 아무것도 들리지도, 보이지도 않았다. 내가 그날 약속을 어떻게 마무리 짓고 집까지 돌아왔는지 기억도 나지 않았다. 정신 차렸을 때는 나는 거실 가운데에 대자로 누워 멍하니 천장만 바라보고 있었을 뿐이었다. 누구 말이 진실일까? 나랑 함께한 세월이 많은 최양? 그게 아니라면 제3자로서 객관적인 시선을 바라봤을 배양? 둘 다 거짓말이면 어떡하지? 나는 누구를 믿어야지. 어떻게 해야 하지. 머릿속으로 수만 가지의 시나리오를 써보았지만, 그 어떤 것도 정답이 될 수 없었다. 결국, 내 마음이 가장 끌리는 시나리오를 선택할 수밖에 없었다. 나는 핸드폰을 들어 최양에게 메시지를 보냈다.

[너 상황은 이해하겠어]

[근데 용납은 못하겠다]

[앞으로 연락하지 말자]

이윽고 최양에게 답장이 왔지만, 그 답장이 눈에 들어오지는 않았다. 핸드폰을 내려놓고 그저 멍하니 천장만 바라보았다. 최양하고 공유하며 지내온 것을 손가락으로 꼽아보았다. 집, 친구, 옷, 고데기 등 형체를 가진 것부터 학창시절, 즐거움, 슬픔, 고통, 분노와 같은 형체를 지니지 않은 것까지. 너무 편하게 생각한 죄였을까. 하다 하다 남자친구마저 공유하게 될 줄은 꿈에도 몰랐는데. 헛웃음이 절로 나왔다.

드라마 클리셰로 꼽히는 설정 중에는 주인공과 모든 것을 공유하는 오랜 친구 캐릭터가 있다. 보통 미니시리즈 드라마 속에서는 그 친구와 주인공이 연인을 공유하지 않지만, 일일 드라마에서는 친구와 주인공이 남편을 공유하곤 한다. 그래, 남편을 공유 안 한 게 어디니. 우스갯소리를 하며 나는 애써 그 친구의 얼굴을 잊어버리고 다시 '친구와 바람난 남편에게 소소한 복수를 하는 법'을 구상하기 시작했다. 만약 내가 그 주인공이었다면 어떤 복수를 했을까? 오랜 고민 끝에 구상한 방법은 '남편 칫솔로 몰래 변기 닦기'였다. 참 소소하고 구차한 복수 방법이지만, 메인 작가님의 의도와는 딱 들어맞았는지 수많은 아이디어 중에서 이 방법만 채택되었다.

내가 최양에게 화가 났던 건, 단순히 남자친구를 공유해서가 아니었다. 10년에 가까운 세월을 함께한 나보다 고작 2~3년을 안 남자를 더 우선시했기 때문이었다. 나는 그깟 남자는 중요하지 않았다. 내가 사랑하는 사람을 최양도 함께 사랑해왔다면, 나는 최양을 위해 그 마음도 접을 수 있었다. 그래서 내가 최양을 떠올리며 구상한 복수방법은 고작 '남편 칫솔로 몰래 변기 닦기' 정도였다. 용납할 수 없는 짓을 한 최양이지만, 그래도 나는 최양을 많이 사랑했기 때문에 그 친구의 마음을 아프게 하는 짓을 차마 할 수 없었으니까.

하지만 최양아, 그렇다고 한들 너와는 더는 어떤 것도 공유하고 싶지 않아. 지금처럼 서로 모르는 사이로 지내자. 시간도, 추억도, 사람도, 다시는 공유하지 말자. 정 어쩔 수 없으면 와이파이만 공유하자. 그게 우리의 마지노선이야.

영원은 허상이 아닐지도 모른다

친구 진을 만나러 지하철을 타고 가던 길이었다. 인생은 지하철과 같아서 수많은 사람이 내리고, 또 수많은 사람이 새로 들어온다는 이야기가 문득 떠올랐다. 타고 내리는 사람들을 보다 보니 정말 인생과 닮아있다는 생각이 들었다. 그렇다면 이 달리는 지하철에 갇혀있다면? 어쩌면 인생의 축소판처럼 보이지 않을까? 습작품 〈이대로 뛰어내릴 순 없다〉는 그렇게 시작된 드라마였고, 주인공 은세는 그렇게 뜬금없이 지하철에 갇히게 되었다.

[기억을 잃은 채, 끝없이 달리는 지하철에 갇힌 여자. 그녀를 기억하는 남자가 나타나면서 벌어지는 여자의 지하철 탈출기.]

이 이야기의 핵심은 '인생을 살아가며 수많은 사람이 타고 내리는데, 결국 종착역에는 누가 있을까?'다. 나 같은 경우에는, 결국 종착역에는 나 혼자일 거라고 결론을 내렸다. 사람을 죽음을 피할 수 없는 필멸자이고, 나는 발버둥 쳐봤자 사람이기 때문이다. 죽음을 맞이하는 건 결국 혼자이니, 종착역은 결국 나 혼자 맞이하는 게 맞을 테다. 하지만 그렇게 결론을 내리니 무언가 마음이 쓸쓸했다. 그래서인지 〈이대로 뛰어내릴 순 없다〉는 아직도 마무리를 짓지 못한 채, 미완의 상태로 남아있다. 공허한 마음을 달래기 위해 새로운 이야기를 쓰고 싶었다. 그렇게 기획한 습작품이 로맨틱 코미디 장르의 〈노미오와 주리애〉였다. 대중적으로 많이 아는 셰익스피어의 〈로미오와 줄리엣〉을 모티브로 낭만적이고 영원한 사랑의 이야기를 쓰고 싶어 기획하기 시작했다. 그런데 막상 시놉시스를 쓰려고 하니 '영원한 사랑'에 대한 의문이 해결되지 않아, 단 한 글자도 쓸 수 없었다.

흔히들 영원한 사랑은 없다고 한다. 나 또한 그렇게 생각한다. 영원한 사랑도, 내 옆에 영원히 남을 사람도 없다고 말이다. 누군가는 꽤 비관적인 생각이라고 여길지도 모르지만, 나는 현실적인 생각이라 여긴다. 영원한 사랑이 실존하지 않기에 사회적으로라도 영원한 사랑을 약속하는 결혼이라는 제도가 만들어졌다고 생각한다. 사람도 마찬가지다. 내 옆에 영원히 남을 사람이 실존하지 않아 '내 사람들'이라는 표현을 사용하며 사람을 소유하고 싶은 마음을 은연중에 드러낸다고 여긴다. 내 생각이 바르다는 게 아니라, 일단 나는 그렇게 생각한다는 것이니 이 글을 읽는 여러분이 불쾌하지 않았으면 좋겠다.

여하튼 이런 생각을 가진 내가 '영원한 사랑'에 대한 이야기를 쓰려 하다니. 어불성설이었다. 하지만 그 시기의 나는 내가 가장 쓰지 않을 법한 이야기를 다루고 싶었다. 그래서 나는 '영원한 사랑'이 존재할 가능성에 대해 생각해 보기 시작했다. 그때 가장 큰 힌트가 되었던 게 보라색 장미였다. 보라색 장미의 꽃말은 두 가지다. 영원한 사랑, 그리고 불완전한 사랑. 같은 꽃이지만, 상반되는 의미가 있었다는 점이 매우 흥미롭지 않은가? 나는 보라색 장미를 찾아보며 계속 생각했다. 왜 상반된 꽃말을 붙였을까. 그러다 문득 '사실은 상반되지 않았던 게 아닐까?'라는 생각이 들었다. 그리고 끝내 '불완전한 사랑은 영원하다'라는 결론에 다다랐다.

거기까지 생각한 나는 정말 기발한 발상을 했다며 스스로 감탄했다. 박찬욱 감독의 영화 〈헤어질 결심〉이 개봉되기 전까지는 말이다. 〈헤어질 결심〉에서는 불륜이라는 소재를 이용해 미완의 가치를 다루었다. 주인공들의 관계가 제대로 완결되지 못하였을 때, 비로소 주인공들의 사랑이 영원해졌다. 내가 말하고자 했던 '불완전한 사랑은 영원하다'라는 주제와 완전히 일치했다.

오랜 시간 생각했던 주제가 먼저 대중에게 작품으로 선보여졌을 때, 그것도 내가 상상하지 못할 정도로 완벽하게 작품으로 표현한 걸 보았을 때의 질투심과 허망함은 어마어마했다. 사실 박찬욱 감독님은 영화계의 거장이기에 내가 감히 질투심을 느낄 대상 자체도 아니었지만, 무슨 자신감이었는지 그때의 나는 그랬다. 이내 오기가 생긴 나는 그 누구도 생각지 못한 대단한 작품을 쓰리라 마음먹었다.

무식한 자가 신념을 지니면 무섭다고 했던가. 얕은 지식으로 박사처럼 구는 것은 습작생이 드라마를 이론으로 배우는 과정에서 발생하는 흔한 증상이었다. 그리고 그 시절 나도 그 증상을 피할 순 없었다. 드라마는 무조건 거창한 주제 의식이 있어야 한다는 강박에 사로잡혀, 매번 작품을 구상할 때마다 생각은 꼬리에 꼬리를 물었다. 하지만 그다음 습작품을 쓸 때도, 다음다음 습작품을 쓸 때도 수만 가지의 생각은 오히려 독이 되어 집필에 지장을 주었다. 그렇게 완성하지 못한 습작품만 10개가 족히 넘어갔다. 세상만사가 과유불급이라는 말을 그제야 체감했지만, 한번 깊어진 생각은 도통 멈출 수가 없었다.

습작생이라는 타이틀은 가지고 있지만, 정작 습작품을 쓰지 못하던 시절을 겪고 있던 와중이었다. 당시에 나는 모 아이돌 그룹 팬 활동을 통해 알게 된 화와 친하게 지냈었다. MBTI 성향 중에서도 극한의 N 성향이 있는 화는 나에게 이런저런 상상을 이야기하는 걸 좋아했다. 그리고 나는 화의 이야기를 듣고 같이 개발시키는 일을 즐거워했다.

우리가 당시에 가장 심취했던 상상은 '만약 우리가 같은 회사에 다녔다면?' 이였다. 우리가 같은 회사에 다녔다면 탕비실에서 맨날 시시덕거리고 있지 않았을까. 큰 의미도 없고, 별로 특별하지 않은 상상에서 시작된 이야기는 우리의 작은 상상들로 꼬리에 꼬리를 물고 이어졌다. 등장인물이라곤 우리 둘뿐이던 이야기는 어느새 배경으로만 쓰이던 회사 구성원 하나 하나에 인격이 부여되었고, 단순한 일상 코미디로 구성되던 이야기는 언젠가부터 '알고 보니 인턴이 산업스파이였다'라는 복합 장르물로 탈바꿈되었다.

이 이야기는 독특한 소재도 아니었고, 대단한 주제 의식이 있는 것도 아니었다. 그저 코미디에 심취한 우리가 단순히 우리 재밌으려고 만든 이야기였다. 그렇지만 이 일로 나는 슬럼프에서 조금씩 벗어날 수 있었다. 우리 입맛에 맞는 이야기를 구상하고, 캐릭터에 관한 이야기를 나누는 일이 얼마나 즐거웠던지. 연애하듯 밤새도록 메시지를 주고받으며, 대략 16부작 분량의 드라마를 한 편 써 내려갔다. 그렇게 만들어진 습작품이 바로 〈페이크 컴퍼니〉였다.

[회사는 이용당했을 뿐! 개그부라 자칭하는 회계팀에서 벌어지는

우당탕 페이퍼 컴퍼니 생활기.]

아이러니하게도 위 로그라인을 완성했을 때는 화와의 연락은 끊긴 상태였다. 연이 끊긴 이유는 거창하지 않았다. 그저 서로의 삶이 바빠졌을 뿐이었다. 온종일 연락하던 시절의 화와 나는 때마침 일을 쉬고 있었기에 그렇게 할 수 있었던 것이기에, 아쉽기는 하지만 그렇다고 서운하지는 않았다. 우리는 언젠가 연이 끊길 거라는 걸 이미 짐작하고 있었다. 서로에 대한 악감정이 있어서는 아니었다. 단순히 인연이라는 건 유통기한이 있다는 걸 서로 잘 알고 있었기 때문이었다.

이 관계에 끝이 있을 걸 알고 있지만, 그럼에도 우리는 서로 교류하던 순간을 최선 다해 즐겼다. 〈페이크 컴퍼니〉 시놉시스를 정리하며 그 시절을 곱씹던 나는 깨달았다. 관계의 기간은 유한하더라도 추억의 기간은 무한하다는 것. 그 사실을 무의식중에 알고 있었기에 우리는 그 순간을 최선으로 즐겼던 게 아닐까.

생각이 정리되자 오랜 시간 동안 내버려둔 〈이대로 뛰어내릴 순 없다〉와 〈노미오와 주리애〉의 시놉시스 파일을 차례차례 다시 열어볼 수 있었다. 사랑, 우정, 증오... 어떤 테마의 인간관계이든지 모든 관계에는 유효기간이 있고, 결국 인생의 종착역은 나 혼자 맞이하겠지만, 그 감정의 순간들은 남아있으니 절대 외롭지만은 않을 것이다. 지하철에 홀로 남겨진 은세도, 깨붙을 반복하다 끝내 마지막 이별을 맞이한 미오와 리애도, 그리고 이제 서로의 안부조차 묻기 어려운 나와 화 또한.

이 짝사랑은 암살로 끝났어야 했는데

짝사랑은 암살이 아니다. 당사자도 모르게 은밀히 짝사랑하는 소심한 이들에게 농담조로 하는 말이다. 이 표현의 핵심은 당신이 좋아하는 사람과 연애로 발전하려면, 좋아하는 감정이 그 당사자에게만큼은 드러나야 한다는 거다. 하지만 다양한 사람이 세상을 살아가듯, 다양한 짝사랑도 존재한다. 그 짝사랑 중에서는 암살로 끝났어야만 하는 경우도 분명 있을 테다. 내가 묵을 좋아했을 때 그랬다.

묵은 방송업계에서 도망친 직후, 이직한 직장에서 처음 마주했다. 2년 만에 복귀한 사무직 업무를 잘할 수 있을까. 회사 사람들과는 잘 지낼 수 있으려나. 내가 제작사 또라이들과 어울려서 사회성이 저하된 거면 어떡하지. 여러 걱정으로 가득한 첫출근 날, 힘없이 터덜터덜 걸어오는 묵에게 시선을 빼앗겼다. 저 사람 좀 괜찮은데... 아니, 미쳤냐. 여기 회사다. 애써 고개를 내저으며 스멀스멀 올라오는 남미새 본능 내칠려고 부단히 애썼다. 이렇듯 처음에는 묵을 향한 감정을 인정하고 싶지 않았다. 절대로.

같은 직장에 직속 상사, 심지어 띠동갑을 훌쩍 넘는 나이 차이까지. 불행히도 묵은 아주 최악의 조건만 쏙쏙 갖춘 사람이었다. 다른 남자라도 만나면 정신이 들까 싶어서 중간에 남자친구도 사귀었었다. 그런데 하필 만나도 정신머리가 빠진 놈을 만나버려서였을까. 그놈에게 내가 해코지 당할까 걱정된다며 신경 써주는 묵에게 도리어 더 마음을 주고 말았다. 이러면 안 되는데, 진짜 존나 나이 많은데, 게다가 직장 상사고, 이건 진짜 에바지... 그렇게 열심히 마음을 다잡아보려 했지만, 정신 차려보니 나는 사무실에서나 사무실 밖에서나 묵을 졸졸 따라다니고 있었다. 그런 내 꼬락서니를 보자니, 한 달이 지나고 나서는 끝내 인정할 수밖에 없었다.

나는 묵을 좋아했다. 그것도 매우.

무덤덤한 얼굴로 하루를 보내다가도, 농담 한번 건네면 사르르 웃는 모습도. 말없이 묵묵하게 일만 하다가도, 자기가 생각했을 때 아니다 싶은 부분에는 목소리를 높이며 해야 할 말을 다 하는 모습도. 한참 예민한 얼굴로 프로페셔널하게 일을 하다가도, 직원들에게 철부지 어린애처럼 새로 산 키보드를 자랑하는 모습도. 주변 사람들에게 무심한 듯 모니터에만 시선을 두는 것 같으면서도, 나 혼자 눈물을 훔치며 일하는 걸 유일하게 발견하고 직원들이 전부 퇴근했을 때 "왜 서운한 얼굴을 하고 있어요."라고 묻는 모습도. 모터 달린 것처럼 빠르게 앞서 걸어가다가도, 내가 뒤에서 쪼르르 쫓아가면 속도를 조금 늦춰주는 모습도. 날씨가 따뜻한 어느 겨울날에 "이런 날씨에는 매출이 안 나오는데."라고 낭만 깨지는 말을 하면서도, 내 성급하고 유치한 고백을 거절할 때는 "어떻게 상처를 안 받게 말할 수 있을까 고민했는데."라는 말을 조심스레 하는 모습도.

누군가는 그런 언행들은 사람으로서 당연한 게 아니냐며 말할지 모르겠지만, 그 당연한 언행들을 당연하게 생각하지 않는 성실한 모습이 좋았다. 사소한 행동과 말의 행간에서 묵의 다정함이 묻어나왔다.

그러니 나는 아마 언젠가 한 번쯤은 묵을 좋아할 수밖에 없었을 테다. 하지만 그런 묵의 모습을 내 주변 사람들은 당연히 알지 못했다. 그들이 알고 있는 건 묵의 표면적인 정보뿐이었기에 다들 나를 극구 말렸다. 나는 스물여섯의 신입사원이었고, 묵은 마흔둘의 직장상사였으니 당연한 반응들이었다. 그래서 "너 진짜 미쳤냐?"라는 말에도 그저 웃음으로 대답을 대신할 수밖에 없었다. 나라도 내 친구가 마흔둘의 직장상사를 좋아한다고 고백해오면 일단 머리통에 찬물을 냅다 부어버릴 테니 말이다.

내가 처음으로 참여했던 작품 A 속 여자 주인공과 남자 주인공의 나이 차이는 9살이었다. 프로젝트에 참여하기로 하고, 기획안을 처음 읽었을 때 솔직히 이것도 나이 차이가 너무 많이 난다고 생각해 눈살이 찌푸려졌다. 스물여섯이 왜 서른다섯을 만나? 그러나 드라마 속에서는 그 '서른다섯' 역할을 대단히 잘생긴 남자 배우들이 맡기 때문에 그러려니 하고 이해했었다. 하지만 역시 현실은 드라마보다 더하다. 내가 묵에게 코 꿰어 졸졸 쫓아다니는 것만 봐도 그렇지 않은가. 아무래도 대본 작업할 때 '서른다섯' 보고 도둑놈이라고 매일매일 욕했던 벌을 받는 것 같다. 그렇지 않고서는 이렇게 비정상적일 정도로 묵이 좋을 수가 없다.

A 작품 속 여자 주인공은 당돌하게 고백한다. 저 여자로 안 보여요? 그러면 지금부터 여자로 봐보면 되겠네요. 스물여섯의 앙큼한 고백에 서른다섯은 호기심이 싹트고, 그렇게 결말에서는 꽁냥꽁냥 연

애를 이어나갔다. 어째서 이런 건 드라마보다 덜한지는 모르겠다. 기왕 고백할 걸 이렇게 앙큼하게 했으면 좋았으랴만, 나는 묵에게 참 찌질하게 고백해버렸다.

사무실에서 울면서 일하던 그날. 나는 대형 드라마 제작사에서 보조작가 제안을 받아 고민하던 중이었다. 현실과 이상 사이에서 무엇을 선택해야 할지 몰라 눈물만 줄줄 흘리며 일하고 있었는데, 하필 묵이 그 모습을 발견했다. 직원들 모두가 퇴근하고 단둘이 남은 사무실에서 묵은 조용히 나에게 말을 걸었고, 나는 기다렸던 것처럼 고민을 줄줄 읊었다. 참 고맙게도 묵은 갑작스러운 내 고민을 그저 묵묵하게 들어주었다. 그 모습에 마음이 더 갔는지도 모르겠다. 퇴근하는 길에 머쓱한 분위기를 풀고자 대화를 겨우 이어가던 중에 묵은 말했다. 나는 남들의 감정을 잘 알아차려요. T라서 그런가? 그렇게 웃으며 덧붙이는 묵의 모습에 상당히 울컥했던 것 같다.

근데 왜 제가 좋아하는 건 모르세요.

그 말을 내뱉는 순간, 나는 드라마 작가가 되기에는 참 멀었다는 생각이 들었다. 무슨 B급 로맨스 드라마에서 나올 것 같은 오글거리는 대사가 내 입에서 튀어나오다니. 아차 싶어서 입을 틀어막았다. 아, 몰라 몰라. 전 반대로 갈 거예요. 후다닥 그 자리에서 도망쳤다. 어쩜 고백 후 행보마저 B급 로맨스 드라마 같았다.

하지만 현실은 드라마 같지 않아서 시간 경과 기능이 없었다. 드라마에서는 컷 튀면 주인공들의 관계가 파바박 전개가 되지만, 고백 공격을 한 다음 날에도 나와 묵은 성실하게 출근해야 했으며, 앞으로도 계속 함께 일을 해야 했다. 서사도 마찬가지였다. 내 고백으로 묵이 나를 여자로 보는 일은 없었고, 우리 둘의 관계가 부하직원과 직장상사에서 더 발전할 기미는 전혀 없었다.

내가 울었던 그날, 묵은 내가 모든 고민을 자신에게 털어놓은 줄 알았겠지만 사실 말하지 않은 게 딱 하나 있었다. 내가 고민했던 현실과 이상 중에서 사실 현실에 해당하는 건 보조작가 제안을 받아들이는 것이었고, 묵이 있는 회사에 오래오래 다니는 것은 '이상'이었다. 묵과 연애를 감히 시작할 각오는 없었지만, 그래도 나는 그의 옆에 기회가 닿는 한 오랫동안 머물고 싶었다.

그러기 위해서는 고백 공격을 수습해야 했다. 하지만 마음이 수습되지 않아서였을까. 같이 퇴근하던 어느 날 밤, 나는 묵에게 물어봤다. 제 나이가 다섯 살만 더 많았었으면 뭐가 좀 달라졌을까요? 그때 묵은 그랬을지도 모르겠다며 대답을 했었다. 사실 그때 내가 원하던 대답은 '글쎄요.'였다는 걸 묵은 전혀 알지 못했을 것이다. 차라리 그렇게 어물쩍 대답했으면 '아, 이 사람은 나라는 사람이 전혀 눈에 들어오지 않나 보다.'며 마음을 쉽게 접을 수 있었을 테다. 그러나 모든 게 걸리는 것이 없는데, 딱 나이 하나가 걸려서 아무것도 시작하지 못하는 관계라는 생각에 그 뒤로도 나는 오랫동안 묵에 대한 마음을 접을 수 없었다. 사실 그 생각은 진실이 아닌, 그저 착각에 불과했을 뿐이었는데 말이다. 내가 착각에서 벗어난 건, 불행히도 한참 뒤의 일이었다.

언젠가 묵에게 물은 적이 있었다. 접으려고 부단히 애써도, 그럼에도 계속 좋아하면 어떡하죠? 그 물음에 묵은 헛웃음 터트리며 시간이 약이라 답했다. 그때는 그 대답이 참 진부하다고 느꼈는데, 클래식에는 다 이유가 있는 법인가보다. 시간은 확실히 약이었다. 짝사랑하는 감정이 무뎌져서가 아니었다. 시간이 지나면 뇌에 잔뜩 끼어있던 도파민의 거품이 사그라들었다. 그래서 이성적인 사고가 가능했다. 이 사람이 나를 대하는 태도나 말투가 이성적인 호감에서 비롯된 것인지, 그저 사회적 예의인지. 제대로 상황을 바라볼 수 있었고, 올바르게 판단이 가능했다. 그렇기에 이제는 그 사람을 포기할 수 있었다.

묵은 나를 좋아하지 않았다. 그것도 매우.

그게 싫어한다는 뜻은 아니다. 다만, 나를 향한 마음이 사무실 창가에 놓인 산세베리아를 향한 마음과 다를 바 없는 감정이라는 거지. 묵을 너무나도 좋아하던 시절에는 시야가 흐려져 눈치채지 못했지만, 지금 내 시야는 어느 때보다도 뚜렷하다.

같은 직장에 직속 상사, 게다가 나이 차이 많이 나는 사람을 좋아하는 일은 내 인생 계획에 전혀 없었다. 아마 다시는 이런 일이 발생하지도 않을 거다. 이 세상에 묵 같은 사람은 하나 밖에 없으니까. 그러한 이유로 꽤 오랫동안 마음을 놓지 못해 끙끙 앓았으나, 지금은 이글을 최종 원고에서 빼는 것이 미래의 나에게 좋을지 고민하며 끙끙 앓고 있다. 혹여 우연히라도 이 글을 읽을 묵의 모습을 떠올리면, 더더욱 백스페이스 키를 연타하고 싶어진다.

그러나 결론적으로 나는 이 글을 지우지 않기로 했다. 묵 같은 사람이 세상에서 한 명뿐이듯, 나 또한 세상에서 한 명뿐이라는 사실을 배웠다는 걸 기록하고 싶으니까. 그 깨달음을 오랫동안 기억할 수 있도록, 용기 내어 이 기억을 글자로 남겨본다. 부디 내 마음에서 깨달음만 남고, 그 사람은 영영 휘발되기를. 간곡히 소원하는 밤이다.

자존감과 자존심, 그리고 자존

최근 유행하는 말 중에는 자아 다이어트라는 말이 있다. 비대한 자아 때문에 남들에게 피해 주는 사람들을 비난할 때 사용되는 말로, 해 끼치지 않을 정도로 자아를 죽이라는 뜻이다. 이 말을 들었을 때 참 많은 사람의 얼굴이 스쳐 지나갔지만, 그중에서도 방송업계에 종사 하시는 분들이 안타깝게도 꽤 많은 비중을 차지하셨다. 자신의 가치 를 증명해내야 다음 일을 얻을 수 있는 프리랜서가 많은 업계라서, 유 독 프라이드가 강한 사람들이 많을 수밖에 없었다. 왜냐하면, 그들은 자기 가치를 증명하여 지금까지 방송업계에서 생존하였으니까. 그런 점에서 있어서는 그분들을 정말 리스펙한다. 뭐라도 되는 마냥 주절 주절 글을 쓰고 있지만, 사실 나도 순전히 아기 보조작가에 그치기 때 문이다.

하지만 그렇다고 한들 자신의 프라이드를 앞세워 남들을 깎아내려 도 되는 건 아니다. 그건 아무리 업계에서 저명한 권위자라 해도 용납 할 수는 없다. 시청률을 얼마나 얻었든 간 집필한 각본이 드라마로 방 영된다는 것 자체가 작가가 지녀야 할 능력이 뛰어나다는 사실을 증 명한다. 그렇지만 "내 각본이 방영되었으니까 난 업계의 권위자고, 너희는 다 내 아래야!"라는 식의 언행을 하는 작가님들을 볼 때마다 나는 조용히 뒷걸음질을 치게 된다. 작가로서는 모르겠지만, 사람으 로서는 별로 가까이하고 싶지는 않다.

이렇듯 자기 가치를 아는 것과 자기 분수를 모르는 것은 종이 한 장

차이다. 이 둘을 구분할 줄 알아야 진정한 어른이 되는 게 아닐까? 그렇다면 나는 아직 어른은 되지 못한 모양이다. 그 두 가지를 구분하는 건 나에게 너무 어려운 일이다. 하지만 괜찮다. 내가 보니까 다른 사람들도 쉽게 구분하지 못하는 것 같기 때문이다.

묵에 대한 마음을 인정하고 싶지 않아, 의무적으로 남자친구를 사귀었던 때가 있었다. 아는 언니의 주선으로 소개팅 자리에서 그 남자, 김을 만났을 때에 내가 생각했던 남자친구 조건을 딱 두 가지였다. 하나는 건설적인 미래를 그릴 줄 아는 사람일 것, 나머지 하나는 내가 좋아하는 사람이 아닌 나를 좋아하는 사람일 것. 원을 만났던 사건이 나에게는 파급력이 은근히 컸었던 걸까. 이 무렵 나는 내가 좋아하는 사람보다는 나를 좋아하는 사람을 만나고 싶었다.

김은 내가 생각한 조건에 들어맞는 사람이었다. 안정적인 직장으로 꼽히는 공공기관에 다니면서도 계속 자신의 미래를 더 크게 그릴 줄 아는 사람이었고, 무엇보다 나를 좋아하는 게 많이 느껴졌다. 내 눈을 못 마주치고 계속 시선을 피하면서도, 내가 다른 곳을 보고 있으면 힐끔힐끔 쳐다보는 모습에서 특히나 김의 마음을 체감할 수 있었다.

김과 처음 만난 날, 우리는 무려 12시간 동안 함께 있었다. 사실 무언가 대단한 일정을 소화한 건 아니었는데, 밥 먹고 이곳저곳 돌아다니다 보니 시간이 그렇게 되었더라. 김과 나는 취향이 꽤 잘 맞아서 같이 오랜 시간을 보내도 지루하지 않았다. 좋아하는 생활용품 이야기하느라 드럭스토어에서 1시간 동안 있을 정도로 쿵 짝이 잘 맞았다. 이런 사람이면 내가 좋아할 수 있지 않을까? 묵보다 더 좋아할 수 있을 것 같아. 그런 어리석은 마음에서 김과의 만남을 이어가기로 했다.

그러던 어느 날이었다. 당시에는 나와 김은 연인 관계로 발전한 상태였는데, 술에 취한 김이 뜬금없이 이런 말을 했다.

"오빠는... 오빠랑 비슷한 사람을 만나고 싶었어."

그래서 내가 좋다는 이야기인가? 별생각 없이 다음 말을 기다렸다.

"그래서 너를 과분하다고 생각은 안 해."

이 무슨 개소리야? 턱 끝까지 말이 차올랐지만 입 밖으로는 내뱉어지지 않았다. 너무 황당하면 말도 제대로 안 나온다는 사실을 그때 처음 알았다. 술맛이 떨어진 나는 그때부터 맥주잔을 내려놓았다. 이 새끼가 어디까지 지껄이나 보자. 그렇게 생각하며 끓어오르는 속을 애써 참으며 동조했다.

"음~ 그랬구나. 음... 그래, 그렇게 생각할 수 있겠다."

"응. 오빠는 주현이가 과분하다고 생각 안 해."

한번 말하는 걸로 충분한데, 굳이 재방송을 들려주시더라. 누가 찬물을 끼얹은 듯 머리가 차갑게 식었다. 아마 이때부터 애써 무시하려 노력했던 '오빠'라는 주어가 대놓고 귀에 거슬리기 시작했다. 나는 사실 '오빠'나 '언니'라는 단어를 주어로 사용하는 사람에 대해 아주 오랫동안 편견이 있었다. 굳이 자신이 연장자임을 호소하는 태도에서 연장자로서의 대우를 받지 못한 것에 대한 결핍이 느껴진다고 해야 할까. 그러한 결핍을 충족시키고자 자신이 상대보다 나이가 많음을 꾸준히 호소하고, 유교 국가인 대한민국 사회에 살아가는 너희는 연장자인 나를 존중해야만 한다는 무언의 압박을 주는 것만 같았다. 이때부터 나는 김에 대한 정이 떨어졌지만, 안타깝게도 나를 향한 김의 행패는 이제부터가 시작이었다.

내가 어디서 누구랑 무엇을 하든 간 "오빠한테 옷 검사 맡아야지?"라며 무슨 학생주임 선생님처럼 매일매일 복장 단속을 했다. 고등학교에 다니던 시절로 다시 돌아간 듯한 기분이었다. 물론 그 시절에도 선생님 말씀을 잘 듣지 않던 나였기에, 김의 말을 잘 듣는 일은 거의 없었다. 눈치 보지 않고 실컷 몸매가 두드러지는 옷을 입고 다녔다. 그러자 김은 자신의 의도에 어긋나는 행동 하니 기분이 언짢았는지 "오빠가 하는 말은 다 주현이를 생각해서 하는 말이야."라며 꼬리에 꼬리를 무는 가스라이팅 멘트를 이어가더라.

김은 다정한 말투로 교묘하게 나를 깎아내리기까지 했다. 내가 남자에게 대쉬를 받았다는 이야기를 하면 "내 눈에만 예뻐 보이는 건 아니었구나?"라며 혼자 심각한 얼굴을 짓고, 내 빈약한 엉덩이가 마음에 안 들었는지 틈만 나면 "스쿼트를 해보는 건 어때?"라며 본인의 입맛에 맞는 몸매를 만들길 은근히 강요했다. 가스라이팅이 올림픽 종목이었다면 김은 분명 국가대표로 선정되었을 것이다.

김과 만남을 이어갈수록 헤어져야겠다는 마음만 강해졌다. 하지만 쉽게 이별을 말할 수는 없었다. 무작정 이별을 고했다가 어떤 보복을 당할지 모르는 세상 아닌가? 나는 호시탐탐 김과 안전이별을 할 구실을 엿보기 시작했다. 다행히도 김은 한 입으로 두말하는 사람이었다. 연애 초반에는 신뢰를 쌓아야 하니 연락을 잘해야 한다며 나에게 매일 매 순간 위치 보고를 종용하던 김이 어느 날부터 연락이 뜸해지기 시작했다. 나에 대한 마음이 식었던 걸까? 그렇다면 오히려 더 좋았다! 뜸한 연락을 구실로 나는 김에게 이별을 고했다.

　[연락 없네 많이 바쁜가 봐]

　[앞으로도 연락 안 해도 돼 ^^]

　메시지를 보내고, 바로 메신저 프로필을 차단했다. 일부러 연락처는 차단하지 않았다. 콜백이 오면, 하고 싶은 말이 매우 많았기 때문이었다. 메시지를 보낸 후, 얼마 지나지 않아 김은 전화를 걸어왔다. 12시간 이상 메시지 답변이 없던 김이었는데, 그때는 참 빨리도 반응이 오더라. 내가 전화를 받자 김은 가라앉은 목소리로 물었다.

　"주현아. 왜 차단했어."

　차단한 이유를 열거하기 위해서 입을 뗐지만, 막상 목소리는 나오지 않았다. 그 이유를 하나하나 말하자면 24시간도 모자랐기 때문이었다. 나는 고민하다가 결국 "할 말 없네요."라고 답하고는 전화를 끊어버렸다. 역시 말재주가 없는 나에게 말보다는 텍스트가 마음이 편했다. 쏟아지는 김의 문자를 읽으며 한참 고민하다, 차단한 이유를 문자로 보냈다.

　[굳이 연락을 기다릴 이유를 못 느끼겠어요]

　[나도 오빠가 과분하다고 생각 안 해서요]

　그 뒤로 김의 연락은 계속되었지만, 별 의미도 재미도 없는 말만 연속되었기에 굳이 언급하지는 않겠다. 종이 아까우니까.

대본 교정교열을 하면서 국어사전에 참 많은 단어를 검색할 일이 있었는데, 그중에 한번은 '자존'이라는 단어를 검색한 적이 있었다. 국어사전에 명사로서의 '자존'을 검색하면 세 가지 의미가 나온다. 첫 번째, 자기의 품위를 스스로 지킴. 두 번째, 자기를 높여 잘난 체함. 첫 번째 '자존'은 자기 가치를 아는 사람이 행하는 것이고, 두 번째 '자존'은 자기 분수를 모르는 사람이 행하는 것일 텐데, 똑같이 '자존'이라는 단어를 사용하다니 참 아이러니하다.

이따금 궁금해진다. 나는 자기 가치를 아는 사람일까, 자기 분수를 모르는 사람일까? 후자는 꼴값인 것을 아니까 최대한 지양하고 싶은데, 살다 보면 자기 분수를 모르는 짓을 저질러버리는 때가 있다. 대부분 연애에 미쳤을 때 그러더라. 왜 이렇게 연애만 하면 사람은 정신머리가 돌아버리는 걸까. 이 문제에 대해 나는 아주 오랫동안 고민을 했었는데, 아마도 세 번째 '자존'이 이루어지지 않아서 그런 게 아닐까 생각한다. 자존의 세 번째 의미는 이렇다.

자기 인격성의 절대적 가치와 존엄을 스스로 깨달아 아는 일.

자존을 타인의 말로 학습한 나는 '나'라는 사람의 가치를 스스로 깨달아본 적은 없었다. 그러니 참 많은 사람을 사랑했지만, 단 한 순간도 나 스스로를 사랑하지는 못했다.

2장

휴먼

공모전을 준비할 때 휴먼 장르만은 피하라는 말을 들은 적이 있다. 휴먼은 장르의 스펙트럼이 매우 넓고, 또 감정선이 끝도 없이 깊어서, 내공 없이 다루기 어렵다고 한다. 그러니 손도 대지 말란다. 주인공을 확실히 성장시킬 자신 없으면.

운다고 뭐가 달라져

내 오른쪽 눈 아래에는 눈물점이 있다. 엄마는 어릴 때부터 내 눈물점을 보며 걱정했다. 눈물점을 가지면 인생에 울 일이 많이 생긴다는데. 엄마가 그렇게 말할 때마다 나는 웃으며 답했다. 에이, 엄마. 그건 다 미신이잖아. 하지만 엄마의 예언을 틀리지 않았다. 나는 지금까지 살면서 수없이 울거나 억지로 눈물을 삼켜야만 했다. 그 눈물의 이유는 참 가지각색이었지만, 7할이 연애였다.

연애에 미쳐버렸던 때가 있었다. 그 무렵 나는 남자 없이 못 살았다. 잠깐이라도 혼자 남겨지면 우울감이 덮쳐왔고, 불안과 공허함에 잠식되어 금방이라도 죽을 것만 같았다. 정신과 진료도 답이 되지는 못했다. 지금 생각해보면 그랬던 내가 참 이해 가지 않는다. 주치의 선생님의 말에 따르자면 원래 과도한 우울증에 시달리면 사고회로가 정상인과는 완전히 뒤틀진다며, 더 나아가 기억력이 감퇴할 정도로 뇌에 손상이 오기 때문에 이해하지 못하는 건 당연하다고 했다. 그래서였을까. 고도의 우울증을 시달리던 그 시절을 떠올리면 그저 흐릿한 형상만 떠오른다. 그런 일이 있었다는 건 어렴풋이 기억하는데, 내가 겪은 일이 아닌 것 같았다. 마치 전생의 기억 같다.

희미한 기억 속에서 유일하게 선명하게 기억하는 건, 당시에 만난 남자친구 동의 말 한마디였다. 동과 마주 보고 앉아 밥을 먹는데, 나는 무언가 서러워서 울고 있었다. 동은 지겹다는 듯 나를 보며 소리질렀다.

"아, 운다고 뭐가 달라져!"

이윽고 동은 자리에서 박차고 일어나 가게를 떠났다. 덩그러니 나를 혼자 두고 가버린 게 서러워 더 크게 울면서도, 뒤이어 동을 쫓아간 기억이 있다. 그 뒤로는 어떻게 되었는지 잘 기억나지 않는다. 다만 비수에 꽂힌 그 한 마디 때문에 한동안 마음 편히 울음을 터트릴 수 없었다. 무능력하게 울기만 하는 스스로에 대한 혐오감이 커졌기 때문이었다. 나는 매일 눈물을 삼켰다. 우울과 울화가 속에 차츰차츰 쌓여가는 줄도 모르고.

그러다 그것들이 턱 끝까지 차오른 어느 날, 나는 번개탄을 주문했다. 번개탄에 불을 피우기 전까지 참 수많은 생각을 했다. 내가 여기서 죽어버리면, 나에게 세 내어준 집 주인분이 곤란하지 않을까? 옆집 사는 사람들에게는 피해가 가지 않을까? 나 없으면 우리 엄마·아빠는 어떡하지? 약사님도 혼자 일하시기에는 벅차실 텐데... 그러다 문득 내 생각의 중심에는 정작 내가 없다는 것을 깨달았다.

왜 나는 항상 남만 생각해야 해? 죽는 순간에는 제발 나만 생각하자!

울컥하는 마음에 번개탄에 불을 피웠다. 그리고 추리만화에서 보던 밀실 살인사건 현장처럼 창문과 방문에 틈이 없도록 야무지게 박스테이프를 붙였다. 연기가 어느 정도 자욱해지자 나는 번개탄 옆에 이불을 펴고 누웠다. 집이고 뭐고 내 알 바가 아니다. 어차피 난 이제 죽을 사람이니까. 그 생각이 들자 눈물이 핑 돌았다. 그렇게 훌쩍거리는 것도 잠시, 자욱한 안갯속에 홀로 누워있으니 점점 의식이 흐릿해지는 듯한 기분이 들었다. 의식과 무의식의 경계에 놓여있던 나는 문득 한 가지 생각이 피어올랐다.

아, 근데 오늘 어하루 하는 날인데.

당시 나는 〈어쩌다 발견한 하루〉라는 드라마를 즐겨보고 있었다. 아이러니하게도 내가 죽으려고 마음먹은 날은 그 드라마를 방영하는 날이었다. 보통 드라마에서 보면 캐릭터가 죽으려 하는 순간에는 사랑하는 사람을 떠올리던데, 난 애청하던 드라마가 생각났다. 문득 그 드라마를 봐야겠다는 생각에 사로잡혔다. 이불을 박차고 일어나 박스테이프가 야무지게 붙여진 창문을 열고, 번개탄을 껐다. 그리고 드라마 방영 시간에 맞춰 TV를 켰다.

그날 방영된 줄거리는 하필 또 슬펐다. 만화 캐릭터인 남녀주인공들은 아무리 발버둥 쳐봐도 작가가 그린 작품 내용대로 전개되어야만 하는 운명이었다. 작가가 그린 만화 속 세계에서 여자주인공은 약혼자가 있는 시한부 악역 조연, 남자주인공은 이름조차 없는 엑스트

라였다. 이루어질 수 없는 운명이지만, 그럼에도 두 사람은 서로의 마음을 확인했다.

"내 운명이 작가가 정해 놓은 대로밖에 가지 못한다면, 나에게 주어진 시간만큼은... 너랑 함께이고 싶어, 하루야."

여자주인공이 이 대사를 내뱉는데, 그때는 그 말이 왜 그렇게나 슬펐는지 모르겠다. 나는 오랜만에 펑펑 울었다. 이게 뭐가 슬프냐며 이해 못 하는 사람도 분명 있겠지만, 드라마 한 편 한 편에 진심으로 과몰입하여 시청하는 나로선 울음을 참을 수 없었다... 라는 이유도 있지만, 나는 그냥 눈물이 많은 사람이었다. 눈물점이 있으면 인생에 울일이 많다는 것을 증명이라도 하듯. 눈물의 이유 중 7할이 연애였다면, 3할은 이런 사소하고도 쓸모 없는 것이었다. 동의 말대로 '운다고 달라지지 않는 일'에 펑펑 울었다.

하지만 드라마 보며 한바탕 눈물을 토해냈더니, 정말 말도 안 되게 정신이 말끔해졌다. 내가 무슨 정신으로 번개탄을 주문했는지도 이해할 수 없었다. 눈물을 흘리면 엔도르핀이나 세로토닌과 같은 행복을 자극하는 신경전달물질이 분비한다는데 그래서였을까? 한바탕 울고 나니 안정감과 편안함이 찾아왔다. 나는 마음을 고쳐먹었다. 울고 싶을 때는 차라리 열심히 울어야지. 아주 비장하게 다짐했다.

나의 우울증은 아주 깊고 오래되어, 사실상 완치라는 개념은 통하지 않는다고 어느 의사 이해 가지 말씀하셨다. 그러나 또 다른 의사 선생님은 '우울증'이라는 병명을 확실히 가진 이상 치료방법은 분명히 있으니 걱정하지 말라고 말씀하셨다. 처음 들었을 때는 상반된 것처럼 보이는 두 분의 말씀에 이 사람들이 지금 나를 놀리는 건가 싶었다. 하지만 이제는 어렴풋이 알 것 같았다. 내 우울증은 눈물점 같은 거였다.

고등학교 3학년, 취업 준비를 위해 대학병원 피부과에 간 적이 있다. 그곳에서 레이저 시술 등의 치료방법은 있지만, 뿌리가 깊고 아주 오래되어 원래 없었던 것처럼 완벽하게 지울 수는 없다는 진단을 받았었다. 짝눈이 되어도 괜찮겠냐고 의사가 묻자, 나는 고민하다 이내 시술을 안 받겠다 말했다. 살아가는 데 지장은 없으니 눈물점을 품고 살아가야겠다고 마음먹었기 때문이었다.

죽기로 한 그날, 나는 스스로 죽기를 완전히 포기했다. 번개탄과 뜯긴 박스테이프가 담긴 쓰레기봉투를 꽉 묶으며 다짐했다. 우울증을 품고 살아가야겠다. 그런 생각에 도달하기까지에는 내가 지우려 했던 눈물점이 가장 큰 영향을 주었다. 이제 나는 동의 말에 당당히 반박할 수 있다. 운다고 달라지는 일은 분명히 있다. 가장 먼저 내 마음이 달라지는데, 다른 것들이 왜 변하지 않겠는가. 하다못해 동이 가게를 박차고 나간 그날, 우리 관계도 완벽히 달라졌는데 말이다.

영화 〈해리포터〉 시리즈에 나오는 불사조의 눈물에는 치유력이 있다. 그래서 주인공 해리가 독이 발린 송곳니에 찔려 죽을 위기에 처했을 때, 눈물을 흘려 독을 제거한다. 내 눈물도 마찬가지다. 우울로 곪아버린 상처를 터트리는 게 아닌, 치료하기 위한 눈물이다. 그러니 나는 앞으로도 울고 싶으면 열심히 울 계획이다. 나를 울게 한 모든 것으로부터 나를 지키기 위해서.

봄도 아닌데 꽃 피고 지랄이야

　대한민국에는 수많은 드라마 작가들이 있다. 그리고 나는 서울에 자리 잡기 위해서 꽤 많은 작가님과 미팅을 했다. 어떤 작가님은 내 꿈을 더 키울 수 있는 계기를 마련해주기도 하였지만, 또 다른 작가님은 내 꿈을 저버리고 싶게 만들기도 하였다. 그렇다고 전자의 작가님이 착한 사람이라거나, 후자의 작가님의 나쁜 사람이라고 단언하지는 않는다. 요즘 드라마에 나오는 등장인물들도 그러하듯, 완전한 선인이나 악인은 세상에 존재하지 않는 법이니까. 다만 나와 상황이 맞지 않는 사람만 존재할 뿐이다.

　친한 작가 동생 리가 어느 작가님과 미팅을 가진 적이 있다. 그 작가님은 경제적으로도, 정서적으로도 안정된 가정에서 자란 티가 팍팍 나는 사람이었단다. 그리고 본인도 그 사실을 아주 잘 알고 있었다고 한다.
　"리 씨는 어떤 가정에서 자랐어요? 나는 아주 화목한 가정에서 자랐는데."
　"아, 저희 가족도 화목합니다."
　"으응~ 아냐. 우리 가족은 유독, 화목해."
　리는 '유독'이라는 단어에 강조하던 작가님의 모습이 아직도 생생하다고 한다. 카페에 마주 보고 앉아 그 이야기를 듣는데, 내 손에 들려 있는 게 커피가 아니라 술이기를 그리 간절하게 바랬던 적은 없었던 것 같았다. 그리고 한편으로는 내가 그 작가님과 미팅을 안 가졌음에 안도했다. 내가 그 말을 들었더라면 "그럼 제기랄, 우리 집은 불행하나요?"라는 말을 참지 못했을 테니 말이다. 어쩔 수 없다. 나는 꽃밭에서 자란 사람을 만나면 욕이 튀어나오는 병이 있다. 따지자면 알레르기 비슷한 거다.

나에게 꽃밭 알레르기가 있다는 것을 알게 된 건, 전 남자친구 동을 만났을 때였다. 리가 만난 작가님의 화법에 따르면 동도 유독 화목한 가정에 자란 애였다. 처음에는 그래서 좋았는데, 참 아이러니하지. 만날수록 그래서 싫어졌다. 데이트 도중에 누나들이랑 친근하게 전화하는 모습도, 스무 살 때부터 아등바등 일해서 보증금 마련한 내 자취방을 보며 "나였으면 부모님께 보증금 달라고 했을 텐데."라고 말하는 모습도, 나는 돈도 기회도 없어서 못 간 대학을 다니면서도 고작과제 하나 하기 싫다며 칭얼거리는 모습도. 처음에는 나와 달라서 좋았는데, 시간이 지날수록 내가 동을 바라보는 시선이 달라져서일까. 그 모습들 하나하나가 꼴 보기 싫어졌다.

실은 이 모든 생각이 내 열등감으로 비롯된 것임을 다 안다. 내가가지지 못한 환경을 당연하게 가진 게 부러워서, 그게 전혀 당연하지않은 것임을 알지 못하는 게 속이 뒤틀려서, 그래서 동을 볼 때마다화가 났음을 이제는 인정할 수 있다. 하지만 그때는 인정하고 싶지 않았다. 생활을 공유할 수 있는 가족 간의 유대감도, 안정된 생활을 할수 있는 돈도, 그럴싸한 학력도, 아무것도 없는 내게 있는 게 고작 그구질구질한 감정이라는 사실이 너무나도 초라하게 느껴졌기 때문이었다. 어쩌면 동과 만났을 때, 매일매일 눈물이 나왔던 이유는 그런 열등감이 가장 큰 이유가 아니었을까. 하지만 그런 내 속을 전혀 알지 못하는 동은 울기만 하는 내가 답답하기만 했을 테다.

이전 이야기로 잠시 돌아가 보겠다. 동과 내가 마주 보고 앉아 밥을 먹던 때였다. 나는 무언가 서러워서 울고 있었고, 동은 그런 나를 지겹다는 듯 나를 보며 소리 질렀다.

"아, 운다고 뭐가 달라져!"

그래, 당시에는 내가 운다고 해서 달라지는 일은 없었다. 나한테 소리를 버럭 지르고도 동은 태평하게 부모님이 계신 집으로 돌아가, 엄마가 해준 밥을 먹고서 부른 배를 벅벅 긁으며 언제나 그랬듯이 푹 잤을 것이다. 나는 동의 말을 곱씹으며 눈물로 밤을 지새우더라도, 다음 날에는 언제나 그랬듯이 웃으면서 약국으로 출근했을 것이다. 그래놓고 퇴근 후에는 동에게 연락해서 미안하다며 울며불며 매달렸겠지.

하지만 이미 앞에서 말했다시피, 지금은 달라진 게 많다. 나는 고향을 떠나 서울에 자리 잡았고, 베개에 머리만 대면 기절해버릴 정도로 잠도 잘 잔다. 그리고 동은 뭐 하고 사는지도 모를 정도로 관심 밖이 되었다. 가끔 메신저 프로필이 바뀌면 호기심에 프로필 사진이나 구경하는 정도인데, 최근에는 보고 피식 웃음이 나왔다. 디데이는 겨우 사귄 지 이틀째임을 알리는데, 프로필 사진은 무슨 사귄 지 1년은 넘은 것처럼 여자친구 셀카더라. 나랑 사귀었을 때도 하루 만에 프로필 사진을 내 셀카로 지정해놓았던 기억이 떠올라서 웃음을 참을 수 없었다. 나는 많이 울고 아파한 만큼 많이 달라졌는데, 눈물 한 방울 안 흘리고 곱게 자란 동은 달라진 게 하나도 없었다. 아, 전역했으니 머리 길이 정도는 달라졌으려나.

내가 꽃밭 알레르기가 있다고 한들, 그렇다고 꽃밭에서 곱게 자란 사람들이 무조건 나쁘다고 매도할 수는 없다. 곱게 자란 사람들만이 가진 구김살 없는 성격에 큰 위로를 받는 때가 분명 있다. 나처럼 가시밭길에 머무기를 자처하는 사람들은 염세적인 의식이 기저에 깔려 있어, 작은 불행에도 크게 불안해하는 성향을 가지고 있다. 그럴 때마다 꽃밭에 사는 사람들의 "어떻게든 되겠지!"라는 긍정적인 의식은 강력한 방패가 된다. 나는 그 특유의 의식이 항상 탐났다. 그래서 언젠가는 꽃밭에서 사는 사람인 척, 그러니까 '꽃밭 인간' 흉내를 내기도 했다. 태도를 따라 하면 그 정신을 배울 수 있을 것만 같았다.

이따금 꽃밭 인간들은 그런 나를 불편하게 여기기도 했다. 내가 자신들의 독자성을 앗아간다고 생각하는 것 같았다. 다른 사람이 나만의 개성을 모방하는 것에 대한 불쾌감에 동의하며, 어느 웹툰에서 파생된 '손민수 하다'라는 표현이 폭발적으로 유행하던 시절에 특히나 더욱 그랬다. 그들의 개성을 도둑질하려던 의도는 아니었지만, 불쾌감을 느낀 그들의 입장도 충분히 이해는 갔다. 앞에서도 말하지 않았는가. 완전한 선인도, 악인도 존재하지 않지만, 나와 상황이 맞지 않는 사람은 존재한다고. 꽃밭 인간과 나는 그저 상황이 맞지 않았을 뿐이다. 그러니 서로 불쾌감을 느꼈던 거지.

　한때 꽃길만 걸으라는 말이 유행했던 적이 있었다. 될 수 있으면 아프지 말고 곱게 살아가라는 의미에서 나온 말이라서 나도 한때 즐겨 쓰기도 했다. 하지만 지금은 그 말을 딱히 선호하지 않는다. 꽃가루 알레르기 있는 사람에게 꽃길은 사실상 지옥 아닌가? 그 사람에게는 오히려 가시밭길이 천국일 수도 있다. 나는 머리도 나쁘고, 꽃밭 알레르기도 있다. 그래서 사서 고생해야만 성장할 수 있고, 가시밭길이 오히려 마음이 편하다. 가시가 잔뜩 박혀 있다 못해 사람들도 고슴도치처럼 가시가 뾰족하게 날 서 있는 서울은 그런 나에게 안성맞춤이었다. 그러니 나는 계속해서 가시밭길을 걸어가야겠다. 살갗은 따갑지만, 살아남기 위해서라도 내가 성장할 수 있고, 그런 내 모습을 보며 내가 살아있음을 느낄 수 있으니까.

구원이 물도 아니고 어떻게 셀프일 수 있어

수술을 앞두고 엄마가 입원한 날. 나는 엄마와 함께 암 병동을 구경했다. 복도에 풍기는 약품 냄새에 괜히 마음이 울렁이던 그때, 병동 지하에 있는 예배실이 눈에 띄었다. 괜히 반가워 엄마 손을 잡아 이끌었다. 엄마 봐봐, 예배실이야! 그러자 엄마도 반갑다는 듯 웃으며 말했다. 옛날에 우리 주현이랑 같이 예배 보러 갔던 기억이 나네. 너는 기억 안 나지? 엄마는 전혀 몰랐다. 나는 엄마가 좋아하는 찬송가도 기억하고 있다는 것을. 100명은 거뜬히 넘는 사람들로 바글바글한 예배당 3층에 앉아, 찬송가를 부르던 엄마의 모습이 소중해서 마음에 고이 품고 있었다는 것을.

나는 어렸을 때부터 엄마를 좋아했다. 그것도 매우. 그래서 내 어릴 적 별명은 엄마 껌딱지였다. 엄마 옆에서 껌딱지처럼 붙어서 떨어지지 않는다는 뜻에서 붙여진 별명이었다. 걸음마를 떼기 전에도 엄마 곁에서 떨어지는 것만큼은 매우 싫어했단다. 엄마가 잠깐 화장실 가는 사이에도 집 떠나가라 울어서, 결국 엄마는 아기인 나를 안고 볼일을 봤다는 이야기는 아직도 친척들 사이에서 회자된다.

그런 내가 드라마 작가가 되기 위해 서울로 가겠다고 선언했을 때, 언젠가는 내가 떠날 것임을 알고 계셨던 엄마는 놀라지 않으셨다. 다만 시원섭섭한 얼굴을 보이셨다. 과도한 우울증 때문에 광주에서의 자취 생활을 중도에 포기한 딸내미가 다시 독립을 결심했다는 점에서 속 시원해하신 듯 보였고, 이전과 달리 얼굴 보기도 힘든 다른 지

역으로 아예 떠난다는 점에서 섭섭해하는 것 같았다. 나 또한 마음 편치 않았다. 스무 살 무렵부터 세웠던 계획을 이제야 실행하는 거지만, 마치 아픈 엄마로부터 도망치는 것처럼 느껴졌다.

2년 전, 여름이 끝나갈 무렵부터 엄마의 배가 불러왔다. 처음에는 엄마도 나도 대수롭지 않게 여겼다. 평소 배에 가스가 많이 찼던 엄마였기에, 언제나 그랬듯이 소화제를 먹으면 해결될 줄 알았다. 그런데 평소와 달리 엄마의 부른 배는 소화제로 해결되지 않았다. 무언가 이상했다. 나는 급하게 대학병원에 진료 예약을 잡았고, 엄마는 부른 배를 어루만지며 대수롭지 않게 말했다. 괜찮아. 별일 아니겠지. 하지만 엄마의 예상은 완전히 빗나갔다.

"난소에 악성 종양이 자리 잡았어요. 암센터로 연결해 드릴게요."

내 귀에 '악성'이라는 단어가 스쳐 지나가자 머릿속은 백지장이 되었다. 엄마는 애써 밝은 목소리로 "네, 알겠습니다!"라고 대답했다. 하지만 엄마의 목소리에 묻어나오는 미세한 떨림은 숨길 수 없었다. 병원을 빠져나가는 순간까지 엄마는 의사와 간호사들에게 웃으며 인사를 건넸다. 병원 입구에서 대기 중이던 아빠의 차에 타고나서야 힘이 풀린 듯 엄마는 주저앉았다. 엄마는 집에 도착할 때까지 말 한마디도 하지 않았다. 말하지 않아도 엄마가 울음을 삼키고 있다는 걸 알수 있었다. 나는 엄마에게 어떤 위로의 말을 건네야 할지 한참 고민했지만, 작가를 준비한 시간이 무색하게도 그럴싸한 대사가 떠오르지 않았다.

엄마는 휴직계를 내고, 나와 함께 병원과 집을 왔다 갔다 하는 생활을 시작했다. 다행히도 당시 방송작가교육원은 코로나 19로 인해 대면 대신 화상수업으로 진행 중이었다. 나는 서울 상경 계획을 보류하고, 광주 본가에 남았다. 직장 생활 때문에 바쁜 아빠와 오빠 대신 엄마의 입원부터 수술, 그리고 퇴원까지 함께하는 건 솔직히 쉽지 않았다. 부모님에게 보살핌 받는 생활만 하다가 부모님을 보살피려고 하니, 모든 게 어려웠다. 병원 진료 예약을 잡는 것도, 드넓은 암센터에서 산부인과 진료실을 찾아가는 것도, 잦은 검사로 고통스러워하는 엄마를 위로하는 것도 힘들었지만... 가장 어려웠던 건, 아픈 엄마가 싫어지는 내 못난 마음을 다잡는 일이었다.

긴 병에 효자 없다는 말이 있던가. 처음에는 나도 엄마를 지키겠다는 마음이 불타오르던 효녀였다. 하지만 하루가 지나고, 한 달이 지나고, 반년이 지날수록 그 마음은 점점 식어가더라. 항암제의 후유증으로 괴로워하는 엄마의 곡소리가 그저 소음으로 느껴지고, 식사하고 싶지 않다는 엄마의 투정이 귀찮게 느껴졌다. 피 검사를 위해 간호사가 엄마의 팔에 주삿바늘을 꽂는 광경만 봐도 눈물을 글썽이는 나였는데, 언젠가부터 나는 항암제를 맞는 엄마를 보며 한숨만 푹푹 내쉬었다.

어느 날, 그 숨에서 쓰레기 냄새를 맡고 정신 차렸다. 그 냄새는 아픈 엄마를 향한 미움에서 비롯된 거였다. 엄마를 짐처럼 생각하는 자신을 발견하고, 그런 내가 혐오스러워 몇 번이고 자책했는지 모르겠다. 하나뿐인 엄마가 아픈데, 어떻게 그런 생각을 할 수 있어? 네가 그러고도 사람이야? 칼보다 날카로운 말로 엄마에 대한 미움을 수없이 도려내어, 더는 난도질당할 마음도 남아있지 않을 무렵이었을까. 암 환우들의 투병을 돕는 직계가족들이 운영하는 커뮤니티에서 한번은 이런 글이 올라왔다. 아픈 엄마가 차라리 죽었으면 좋겠어요. 이런 제가 비정상일까요? 자극적인 타이틀에 게시물을 확인하지 않을 수 없었다. 본문에는 길고 긴 병간호로 지친, 나 같은 사람의 하소연이 구구절절 쓰여 있었다. 단 한 문장도 공감 안 할 수 없는 내용이었다. 그건 나뿐만 아니었는지, 댓글 창은 글쓴이를 공감하는 내용으로 가득 차 있었다. 이 구역질 나는 냄새를 나 혼자만 맡는 게 아니었구나. 어떤 정성스러운 말로도 대체될 수 없는, 오로지 동질감에서 느낄 수 있는 얕은 위안이 찾아왔다. 하지만 그렇다고 내 한숨에서 쓰레기 냄새가 사라지진 않았다.

엄마 손을 잡고 따라갔던 교회 예배에서는 사람을 죽이고 싶다는 생각도 살인이라고 했다. 그렇다면 나는 엄마를 몇 번이나 죽였던 걸까? 마음이 괴로워 다시 제 발로 정신과를 찾아가야 하나, 고민하던 무렵에 다행히 엄마는 완치 판정을 받으셨다. 1년도 채 되지 않아 암세포가 완전히 사라진 엄마를 보며 의사 선생님도 이건 기적이라고 했다. 환하게 웃는 엄마를 보며 기쁘면서도 한편으로 죄책감에 괴로웠다.

만약 엄마가 완치되지 않았더라면, 나는 몇 번이나 머릿속에서 엄마를 죽였을까?

그 생각이 문득 들자 스스로 소름 끼쳤다. 도망치듯 서울로 떠났다. 작가 일에 집중하겠다는 변명으로 엄마에게 연락하는 날이 뜸해졌다. 엄마를 보지 않으니 내 숨에서 아무 냄새가 나지 않는 것 같아 한시름 놓았다. 명절에도 내려오지 않는 내게 엄마는 이따금 섭섭함을 토로했지만, 차마 두려워서 도저히 엄마 얼굴을 볼 자신이 없었다. 엄마의 죽음을 바라는 나를 다시 한 번 마주할까 봐.

모든 예술이 아름답지 않듯, 모든 소망은 갸륵하지 않다. 그중에도 누군가의 죽음을 바라는 건 가장 끔찍한 소망이라고 생각한다. 분명 나는 끔찍한 소망을 하지 않기 위해서 서울로 도망친 건데, 아이러니하게도 이 도시는 내게 끔찍한 소망만을 품게 하였다. 작가 일을 시작하고 내 소망은 더럽고 저열하기만 했다. 내 가슴만 보고 다가온 원이 불법체류자가 되어 이 땅에서 쫓겨나게 해주세요, 월급 떼먹은 정 대표가 감방에 들어가서 고독하게 죽게 해주세요, 내 습작품을 열등하게 평가한 동기가 공모전에서 낙방하게 해주세요. 누군가의 불행을 간절히 기도했다. 그 기도들은 나를 좀먹어갔다. 마음이 괴로워 끝내 정신과 선생님에게 고백했다. 그 사람들이 죽었으면 좋겠다고 생각하는 제가 이상한 것 같아요. 누군가의 죽음을 바라는 건 너무 끔찍한 일이잖아요. 내 말을 가만히 듣던 의사 선생님은 물었다.

"그 사람을 정말 죽일 수 있을 거로 생각했어요?"

"죽이려다가도... 못했겠죠."

"주현 씨도 못 했을 거라는 걸 잘 아시네요."

"…"

"우리는 생각은 할 수 있어요. 다만 실행을 하느냐 하지 않느냐, 그 차이일 뿐이에요."

순간 뒤통수를 얻어맞은 듯 멍해졌다. 지금까지 나의 믿음이 와르르 무너지는 순간이었다.

어린 내가 엄마를 따라다녔던 교회는 잘못된 믿음을 가진 곳이었다. 질의응답으로 목사가 자체적으로 신도들의 신앙심을 판단하여 구원을 선고하고, 그 얕은 구원을 받은 자는 어떤 죄를 저질러도 천국에 갈 수 있다며 혀를 놀렸다. 이단 교회라는 사실을 눈치챈 엄마를 따라 뒤늦게라도 그곳에서 빠져나왔지만, 완전히 그곳에서 벗어나지는 못했었나 보다. 나 또한 잘못된 믿음을 가지고 있었던 것을 보아하니 말이다. 그날 정신과를 나와 집까지 걸어가는 길에 문득 엄마가 좋아하던 찬송가가 생각났다. 작게 노래를 흥얼거렸다. 나의 사랑하는 책, 비록 헤어졌으나 어머니의 무릎 위에 앉아서, 재미있게 듣던 말, 그때 일을 지금도 내가 잊지 않고 기억합니다… 노래하는 내 숨에서는 더는 어떤 냄새도 나지 않았다.

내 숨에서 처음으로 쓰레기 냄새를 맡은 날을 떠올렸다. 수술 전날, 병실 침대에 누워있던 엄마는 뜬금없이 미안하다고 말했다. 또 무슨 말을 하려고 그러나. 피곤한 마음에 흘러나오려던 한숨을 겨우 삼키며 "왜."라고 물으니 엄마는 머뭇거리다 입을 열었다.

"찾아보니까 난소암은 딸에게 유전된다고 하더라. 우리 딸 엄마 때문에 아프면 어떡해."

목에 걸린 보호자 통행증이 무색하게도 엄마는 수술하는 전날까지 내 걱정뿐이었다. 내 입안에 머금고 있던 숨에서 쓰레기 냄새를 자각한 건 그때부터였다. 엄마의 사랑에 보답하지 못하는 내가 혐오스럽게 느껴지더라.

　언젠가부터 구원은 셀프라는 개념이 트렌드가 되었다. 사람을 구원하는 건, 신도 돈도 아닌 사람이라는 전제에서 비롯된 말이었다. 하지만 그것은 그저 트렌드일 뿐, 모든 구원이 셀프일 수는 없는 법이다. 타인의 불행을 소망하던 끔찍한 나를 구원한 건 사랑이었다. 그 사랑의 주체는 엄마였다. 나를 온전히 사랑하는, 그리고 내가 온전히 사랑하는 엄마 덕분에 혐오스러운 나를 아주 조금 사랑하게 되었다.

드라마에서는 안 이랬는데

중학교 미술 수업에서 선생님이 말하길, 미켈란젤로는 6미터 높이의 거대한 대리석 덩어리를 삼개월 동안 하염없이 바라보았다고 한다. 이내 그 안에 숨어있던 다비드를 발견하고, 불필요한 부분을 망치와 정으로 떼어내어 조각을 완성했댄다. 그렇다면 이 직사각형의 노트북 화면에는 무엇이 숨어있는 걸까? 대리석 덩어리를 바라보던 미켈란젤로처럼 나는 한동안 노트북 화면만 뚫어지게 바라보았다. 단한 글자로 쓰여 있지 않은 빈 문서창에는 커서만 깜빡일 뿐이었다. 하루가 지나고, 일주일이 지나고, 한달이 지나고, 일년이 지났다. 오매불망 기다리던 공모전 마감 날짜는 다가왔지만, 나는 여전히 불필요한 부분을 덜어낼 수 없었다. '그놈'이 다시 찾아온 게 분명했다.

작가들 사이에서 '슬럼프'라는 이름으로 불리는 그놈은 절필의 위험을 내포한 공포의 대상이었다. 그놈이 가장 무서운 이유는 각설이처럼 죽지도 않고 반드시 다시 돌아온다는 점. 나 또한 그놈을 마주하는 게 이번이 처음은 아니었다. 그놈이 내 앞에 처음 나타났을 때는 웹소설을 집필하던 시절이었다. 투고한 모든 출판사에서 퇴짜 맞은 다음날, 그놈은 키보드 위에 놓인 내 두 손을 꽉 붙잡았다. 네 미약한 글 재주로 밥 벌어먹고 살 수 있을 거 같아? 착각하지마. 날카로운 목소리가 내 귓가에 맴도는 듯했다.

지금보다 여린 마음을 가진 스물 둘의 나는 그대로 키보드에서 손

뗐다. 이윽고 죽을 결심을 했다. 마음을 쏟아 부은 동과의 연애도 처참히 망했고, 무너져 가는 마음을 겨우 지탱해준 글쓰기도 제대로 못 하는데, 아무것도 남지 않은 내가 더 이상 살아봤자 뭐하겠어. 꼬리에 꼬리를 무는 스스로를 향한 악담으로 마음은 갈기갈기 찢어졌다. 연결 부분이 헤져서 찢어지기 일보 직전인 접이식 매트리스 위에 쓰러지듯 대자로 누웠다. 다음날 아침이 밝을 때까지 멍하니 하얀 천장을 바라보며 죽을 계획을 세웠다. 내가 기억하는 그놈과의 첫번째 만남은 딱 거기까지였다.

내가 어떻게 이놈을 쫓아냈더라. 빈 문서창에 깜빡이는 커서를 바라보며 기억을 떠올리는데 집중해보았지만, 결국 기억나는 건 하나도 없었다. 내 귓가에 그놈 목소리가 희미하게 들려왔다. 아직도 형편없는 글 재주만 믿고 꾸역꾸역 살아가고 있어? 뻔뻔하기도 그지 없지. 문장 하나도 제대로 완성하지 못하는 나에게 쏟아지는 악담들은 처음 만났을 때보다 훨씬 독했다. 내 눈앞에 띄지 않던 세월 동안 어떻게 하면 말로 사람을 죽일 수 있는지 지독하게 연구한 모양이었다. 하지만 그간 성질머리가 고약해진 건 그놈뿐만 아니었다. 나는 두 귀를 틀어막고 아무 말이나 지껄였다. 그러자 그놈 목소리가 뚝 끊겼고, 세상은 고요해졌다.

그때 깨달았다. 이놈을 퇴치하는 방법은 생각하지 않는 거였다. 관심이라는 먹이를 주지 않으면 관심종자가 스스로 물러가듯, 이놈에게는 생각이라는 먹이를 주지 않으면 되는 거였다. 꼬리에 꼬리를 무는 생각의 끝은 결국 불신과 혐오였으니까. 그놈을 쫓아낸 나는 한결 가벼워진 마음으로 다시 키보드 자판을 누르기 시작했다. 미켈란젤로처럼 근사한 다비드를 발견하진 못했지만, 그래도 나만의 다비드를 발견할 수 있었다. 서툰 손길로 이야기를 다듬어가며 연초에 제출할 공모전 습작품을 완성해가던 무렵이었다.

"주현 씨, 과장님이 이번 달까지만 일할 거야."

어느 날, 이사님 호출로 임원실을 간 나는 청천벽력 같은 소식을 전해 들었다. 회사 사정이 안 좋아져서 과장님을 해고할 예정이라는 말이었다. 그렇군요. 애써 담담하게 대답하며 혼란스러운 마음을 진정시키려 하는데, 이어지는 말은 나를 미치고 팔짝 뛰게 만들었다.

"앞으로는 과장님 업무를 주현 씨가 해야할 것 같아."

뭐라고요, 씨발? 정말 다행스럽게도 사회생활 자아가 소멸하지 않은 덕에 입밖으로 마음의 소리가 새어 나가지는 않았다. 탄식 흘리며 난감한 기색을 표했다. 못하겠다 말하고 싶은 마음이 굴뚝 같았지만, 나보다 더 심란한 얼굴을 보이는 이사님의 모습에 차마 말할 수 없었다. 이놈의 타고난 공감능력은 취사선택이 제대로 되는 애가 아니었나보다. 내 코가 석자인데도 불구하고, 불평 한 마디 제대로 못한 채 과장님 업무를 그대로 인계받은 꼴을 보면 말이다.

1월 말, 과장님이 퇴사하고 본격적으로 업무를 맡게 되면서 내 하루는 확연히 짧아졌다. 반복적이지만 결코 단순하지 않은 업무에 매일매일 시달리다보니 어느 순간부터 그놈 목소리가 들려왔다. 너 작가한다고 하지 않았냐? 그냥 이렇게 엉뚱한 일만 하다가 뒤질 거 같은데? 낄낄낄! 그때 깨달았다. 작가들에게 슬럼프라는 이름으로 불리지만, 그놈은 통상적으로는 '매너리즘'이라 불린다는 사실을. 작가 생활에 문제 없다한들, 그놈은 새로운 이름으로 내 앞에 나타날 수 있다는 빌어먹을 진리를 말이다.

스물 둘에 사용하던 싸구려 접이식 매트리스마냥 내 마음이 다시 조금씩 헤져가기 시작했다. 장국영은 '마음이 지쳐 세상을 사랑할 마음이 없다'며 세상을 떠났다던데, 나는 사랑은 물론이거니와 세상을 미워할 기운도 없었다. 예전 같으면 남탓하며 사직서 내던지고 사무실을 나왔을 테지만, 그럴 기력조차 남지 않았다. 그저 숨만 겨우 쉬며 쏟아지는 일을 해치우는데 전념했다. 그러다보니 집필은커녕 매주 월요일마다 듣는 글쓰기 수업도 제대로 참석하지 못하는 날이 많아졌다. 그런 나를 보며 악담 퍼붓는 그놈 목소리는 점점 커져갔다. 너 그렇게 병신 같이 살 거면 그냥 죽지 그래? 이럴 거면 스물 두 살 때 그대로 죽지 그랬어. 계속 듣다보니 언젠가부터는 악담으로도 들리지 않았다. 그래, 그럴 걸 그랬다. 그놈 목소리를 노래 삼아, 이따금 자기 비하를 코러스처럼 넣으며, 문구용 칼로 팔에 오선지를 새겼다.

본래 인간은 선보다 악에 물들기 쉽고, 긍정보다 부정을 말하기 쉽다. 그러니 세상을 미워할 힘도 없는 내가 짝사랑 끝내는 건 당연한 순서였다. 더는 묵을 봐도 예전만큼 설레지 않았고, 묵과 대화하는 것도 즐겁지 않았다. 회사 사람들에게 먼저 말 걸고 장난치는 게 일상이었던 내 모습은 과거가 된 지 오래였다. 암 투병하던 엄마를 위해 끊었던 담배는 점심시간마다 두 개피씩 피는 게 일과가 되었다. 뭉게뭉게 피어오르는 담배 연기를 보며 생각했다. 삶은 뭐길래 이렇게 지랄맞기만 한 걸까. 분명 드라마에서는 안 이랬는데 말이다.

언젠가 〈멜로가 체질〉이라는 드라마가 유행한 적이 있다. 작품 속 주인공은 드라마 보조작가로, 온갖 지랄 맞은 상황을 다 겪는다. 그러나 결국 드라마 작가라는 꿈도, 스타 감독과의 사랑도, 온갖 달콤한 결실은 죄다 쟁취하며 끝을 맞이한다. 누군가에게 인생 드라마로 꼽히는 작품이지만, 나는 꼴 보기도 싫은 작품이다. 정확히는 지금의 내가 꼴 보기 싫어져서 애써 외면하고 싶은 존재다. 나는 메인 작가가 되기는커녕, 일하던 제작사에서 체불된 월급도 제대로 받지 못하고 있는데. 방송업계에 돌아가지 못한 채 그저 모니터에 띄워진 업무 메일함만 보며 썩어 문드러지고 있는데. 구질구질한 삶에 질려 누군가를 사랑하는 마음도 저물어가고 있는데… 실제 사람도 아닌 드라마 속 주인공에게 괜히 질투가 났다.

누군가는 우리가 모두 저마다의 드라마 속 주인공이라 했지만, 아무리 생각해봐도 나는 엑스트라만도 못한 것 같았다. 그게 아니라면 이렇게 평생을 누군가의 도구가 된 기분으로 살 리가 없으니까. 끝에 다다르면 주인공이 된 것처럼 느껴질까? 모든 상상력을 동원하여 나의 최후를 떠올렸다. 하지만 주인공다운 내 모습은 영 머릿속에 그려지지 않았다. 내 인생이라는 드라마 속 주인공이 정말로 '나'라면, 아마도 비극적 결말을 맞이하는 블랙코미디 작품일 게 확실했다. 그 작품 속 악당은 분명 나에게 악담을 퍼붓는 이놈일 테다. 매순간 나를 부정하며 죽음을 권유하니까.

공모전 마감까지 일주일 남았을 무렵, 퇴근한 나는 억지로 노트북 전원을 켰다. 분명 나만의 다비드를 발견했다고 생각했는데, 절반쯤 진행된 대본 파일이 그저 쓰레기로만 보였다. 깜박이는 커서를 한참 바라보았다. 이내 직사각형의 노트북 화면에서 평온한 얼굴로 관작에 누워있는 나를 발견했다. 대본 파일을 닫고, 빈 문서창을 열어 차분히 글을 써내려갔다.

유서였다.

내 인생은 드라마가 아니었다

유언은 삶과 죽음의 마지막 갈림길에서 내뱉는 말이다. 그렇기에 살아남은 이들은 죽은 자의 유언을 읽으며 그 사람의 인생을 돌이켜 본다. 다비드를 조각한 미켈란젤로는 "내가 죽으면 그리스도의 수난과 죽음을 상기시켜 달라."라는 유언을 남겼다고 한다. 동성을 사랑한 자신을 평생 죄스럽게 여겼던 그다운 종교적인 발언이었다. 그렇다면 나는 세상을 떠나기 전에 어떤 말을 남기는 게 맞는 걸까. 흘러가는 생각대로 문서창에 활자를 채우던 손을 잠시 멈췄다. 이렇게 재미없는 유언은 작가로서 용납할 수 없었다. 임팩트 있는 도입부가 필요했다. 이상한 데서 직업병이 불 타오른 나는 고민에 빠졌다. 짧고 미약한 내 인생을 돌이켜보았다.

인생이란 무엇일까. 내 생각은 거기서부터 시작했다. 습관적으로 국어사전에 '인생'의 단어적 의미를 검색했다. 이 또한 일종의 직업병이었다. 국어사전에서는 인생을 삶이라고도 표기했다. 삶이 무엇인지 다시 검색했다. 거기서 꽤 흥미로운 점을 알 수 있었다. '사람'이란 말이 '삶'에서 유래되었다는 가설이 있단다. 두 낱말의 구성을 분석해 보면, '삶'의 '사' 아래에 있는 'ㄹㅁ' 받침이 '사'와, 같은 'ㅏ' 모음을 취하여 중성(中聲)이 되어 '람'이 되었단다. 더 재밌는 점은 사랑의 어원은 사람이라는 가설이 있다는 점이다. 사랑은 사람이 사람을 생각하기 때문이란다. 이 가설로 보자면 결국 사랑과 사람은 전부 삶이라는 단어에서 파생했다는 거다. 그러고 보면 내 삶은 항상 사람과 사랑

사이에서 방황했다. 어쩌면 삶을 살아가는 모두가 사람과 사랑 사이에서 헤매고 있을 수도 있겠지.

미켈란젤로도 그러하였다. 현재까지 위대한 예술가로 추앙받는 그는 35살 차이가 나는 동성의 연인 '톰마소'에 대한 사랑과, 기독교 신앙에 어긋나는 사랑을 하는 '나'라는 사람 때문에 죽기 전까지 괴로워했다. 그가 살았던 시대는 지금보다 더 폐쇄적이고 관대하지 못했기에 '사랑스러운 톰마소'와 '영혼을 구원할 그리스도교 신앙' 사이에서 방황하며 끝없이 고뇌했으리라. 결국, 자신의 사랑을 죄스러운 게 여긴 미켈란젤로는 독실한 기독교 신자다운 유언을 톰마소에게 남기며 세상을 등졌다. 그게 수많은 고뇌 끝에 미켈란젤로가 정의 내린 제 '인생'이었을 테다.

사랑이 뭐길래. 사람 하나를 위대하면서도 초라하게 만들고, 다 꺼져가는 숨을 경이롭게 살리면서도 무자비하게 죽이는 걸까. 어렸을 때부터 내가 순정만화를 좋아했던 이유는 바로 이러한 점에 있었다. 눈에 보이지도 않는 호르몬의 현상 따위가 어찌하여 삶의 체력과 목적이 되는지. 그게 궁금해서 영화, 드라마, 만화 등 매체를 가리지 않고 사랑 이야기를 찾아 읽었다. 구미 당기는 이야기가 더는 없다 싶었을 쯤부터는 머릿속으로 가상의 사랑을 그려나갔다. 세상에 존재하지 않지만, 언젠가는 생길 법한 '사랑' 이야기를 말이다.

그 이야기들의 밑바탕에는 내가 직접, 혹은 간접적으로 경험했던 사랑들이 녹아있었다. 처음으로 썼던 습작품 〈불 꺼진 교실〉은 당시에 좋아하는 만화 캐릭터를 보며 "이 캐릭터를 일제강점기라는 격동의 시대에 만났더라도 지금처럼 사랑했을까?"라는 의문에서 시작된 시대극 로맨스였다. 지난 공모전에 제출한 습작품 〈리셋걸 오버도즈〉는 암 진단을 받았던 엄마를 떠올리며 "시간을 돌려 사랑하는 사람을 살릴 수만 있다면 무엇이든 할 수 있을 텐데."라는 오만에서 파생한 판타지 로맨스였다. 거기까지 생각한 나는 지난날까지 쓰고 있던 습작품을 떠올렸다.

습작품 〈아나바다〉는 지난주보다 훨씬 적어진 쇼핑몰 매출액을 걱정하면서 자연스레 떠올린 이야기였다. 무엇이든 돈으로 환산할 수 있다면, 사람은 무엇까지 팔 수 있을까? 환금성을 부여한다는 것은 그 존재를 상품으로 여기겠다는 암묵적인 약속이었다. 가진 게 많은 누군가는 자신이 가진 자동차를 상품으로 내놓겠지만, 아무것도 가진 게 없는 사람은 자신에게 환금성을 부여할 수밖에 없을 테다. 나는 어디까지 환금성을 허락할 수 있을까. 내가 가진 것을 먼저 떠올렸다. 아직 제작사로부터 받지 못한 월급 170만 원과 생활비 대출금 640만 원, 마이너스 통장 700만 원… 어째 떠오르는 게 약소한 채권과 비대한 채무뿐이었다.

그나마 가진 것도 온전한 내 것이 아닌 나는 결국 스스로 환금성을 허락할 수밖에 없는 처지였다. 불법적인 일에 몸을 담은 사람들도 아마 나와 비슷한 처지였기에 어쩔 수 없이 그 일을 택한 걸까. 법에 어긋나는 그들의 직업을 정당화시키는 건 아니지만, 그들의 마음이 아예 이해 안 가는 건 아니었다. 숨통 막히면 사리분별 못하고 일단 발버둥치기 바쁜 게 인간의 생존 본능이니까. 하지만 그렇다고 한들 내가 사랑하는 사람들의 멱살을 잡아끌면서까지 살고 싶진 않았다. 몸속에 있는 장기를 팔아도 내 것을 팔지, 주변 사람들의 것까지 팔아넘길 그릇은 못 되었다. 아무리 생각해도 몸을 팔 수 있지만, 마음만큼은 팔 수 없었다. 내가 환금성을 허락하는 범위는 딱 거기까지인가 보다.

나에게는 몸보다 마음이 중요했고, 그래서 돈보다 사람이 중요했다. 방송업계를 떠나 지금 직장에 자리 잡은 것도 같은 맥락에서였다. 큰돈을 만질 수 있어도 서로 속고 속이는 사람들과 계속 함께하고 싶지 않았다. 물론 그 업계에 있는 모든 이들이 내가 만났던 사람들 같지 않을 테다. 하지만 불행히도 그 시절 내 곁에 있는 사람들은 대개 이기적인 인간 군상의 모습을 보였다. 기획 단계부터 시작하여 편성 회의 준비까지 마친 보조작가들을 버젓이 두고, 자신과 친한 작가를 데뷔시키기 위해 그들을 내쫓으려 했던 모 감독. 회사 돈으로 본인이 들고 다닐 명품 가방을 사모으면서 직원들 월급과 퇴직금은 5개월째 주지 않던 모 대표. 보조작가들이 쓴 대본에 점 하나만 찍어놓고선 '자신의 대본'이 칭찬을 받았다며 기뻐하던 모 메인작가. 자신들의 잇속을 채우기 위해 얼마나 안하무인으로 행동했던가.

문득 지금 다니는 회사에 첫출근 했을 때를 떠올렸다. 키보드 자판 두드리는 소리만 들릴 정도로 조용하고 차분한 분위기의 사무실. 그 안에서 눈치 보는 나에게 선뜻 먼저 다가와 말을 걸어주던 과장님과 막내 직원. 그리고 묵묵하게 자기 일 하면서도 모든 상황을 다 지켜보던 묵. 그래, 그 사람들의 선함을 보고 이 회사를 선택했었지. 물론 사람이 완벽히 선할 수 없다는 사실을 잘 안다. 과장님도, 막내 직원도, 묵도, 결국엔 나와 같은 사람이라 수면 밑에 수많은 악이 숨겨져 있을지 모른다. 그럼에도, 선함을 노력하는 사람들이기에 나는 그들 곁에 있고 싶었다. 선보다 악에 물들기 쉬운 게 사람이라고 하지만, 선은 절대 물들 수 없다는 법도 꼭 없었으니까.

죽음 앞에 선 미켈란젤로는 독실한 기독교 신자로 남았다. 그렇다면 지금 이 시점에 나는 어떤 사람으로 남고 싶은 걸까. '정'과 '반'이 수없이 부딪히며 사건을 전개하던 드라마는 끝내 '합'에 도달하며 극을 마무리한다. 헤겔의 정반합 이론과 같은 맥락이다. 이러한 드라마의 플롯 구조는 우리의 인생과도 빼닮아있다. 미켈란젤로의 인생을 예시로 들자면, 동성애와 그리스도 신앙 사이에서의 내적 갈등이 '정과 반의 갈등'. 동성의 연인과 열렬히 사랑했으나 그 마음을 마음껏 표출하지 못하고, 기어이 사랑 대신 신앙심을 고백하며 숨을 거둔 그의 죽음이 '합의 도달'이라 볼 수 있겠다.

나의 '정'과 '반'은 무엇인가. 애초에 '합'에는 도달한 걸까? 머릿속에 수많은 의문이 피어올랐지만, 나는 어떤 것에도 제대로 된 답을 내릴 수 없었다. 미켈란젤로가 500년 전 다비드상을 깎을 때, 무려 4년이라는 시간이 걸렸다. 돌 하나를 깎아 조각상을 만드는데도 많은 인내의 시간이 필요했다는 거다. 어쩌면 인내심이 부족한 나는 성급하게 죽음을 결단하는 게 아닐까. 마치 드라마 보고 싶다는 이유를 핑계 삼아 죽음에서 도피한 스물두 살, 그 무렵처럼 말이다. 사랑과 사람 사이에서 사색하던 나는 결국 오늘도 삶을 포기하지 못했다. 이내 유서라는 명목으로 온갖 생각들로 지저분하게 채워진 문서창을 닫았다.

해당 문서를 저장할까요?

팝업창이 떴다. 망설이지 않고 '저장 안 함'을 클릭했다. 한동안 유서가 필요하지 않을 테니까. 곧이어 대본 파일을 열었다. 여전히 쓰레기로 보였지만, 이번에는 외면하지 않고 하염없이 문서창을 바라보았다.

다비드상과 같은 아름다운 조각상을 만들기 위해서는 오랜 인내의 시간이 필요하다. 드라마 제작이나 인생도 마찬가지다. 가공되지 않아 못생긴 형태를 띤 원초의 소재를 끝없이 바라보기만 하는 때도 분명 있을 테다. 그렇다 한들 진전이 없다고 자책할 필요는 없는 거였다. 원초의 소재 속에 숨겨진 예술을 찾아내는 건 가장 중요한 일이니까. 물론 운 좋게 일찍 찾아냈다고 해도, 순식간에 작업이 진행되는 건 또 아니다. 미켈란젤로가 가장 이상적인 다비드상을 만들기 위해 장장 4년 동안 불필요한 부분을 망치와 정으로 떼어내듯, 우리는 가장 이상적인 인생을 만들기 위해서 저마다의 도구로 불필요한 부분을 떼어내며 살아가야 한다. 죽음에 이르기 직전까지.

그러니 우리는 모두 저마다의 드라마 속 주인공이라는 말은 완전히 틀렸다. 드라마는 원초의 소재가 아니라 잘 가공된 예술이다. 우리는 예술에 불과할 수 없으며, 원초의 소재에서 예술을 직접 찾아내 조각해야 한다. 우리가 드라마 속 주인공이 되는 날은 글쎄다. 아마 죽음 이후의 일이 되지 않을까.

불행한 여자는 오늘도 글을 쓴다

행복한 여자는 글을 쓰지 않는다. 이는 미니시리즈 〈질투〉를 집필한 최연지 작가님의 에세이 제목이다. 웹 서핑하다 우연히 접한 이 책의 제목이 왜 그렇게 마음에 남았을까. 계속 책 제목을 곱씹던 나는 결국 e-book을 결제하기까지 이르렀다. 그리고 하루 만에 책을 정독했다. 행복한 여자는 왜 글을 쓰지 않는지. 그 이유를 알아내면 책의 제목이 유독 내 마음에 남은 이유도 알 수 있을 것 같았다.

이건 어렸을 때부터 가졌던 나만의 습관이었다. 마음에 드는 문장을 발견하면, 무조건 그 문장을 함유한 책 전문을 읽어야 직성이 풀렸다. 절판된 책이라 하더라도 예외는 없었다. 국회도서관에서 우편 복사를 하는 한이 있더라도, 그 문장이 나오기까지의 모든 내용을 정독해야만 했다. 이리도 집요하게 문장 하나에 집착하는 이유는 단순하다. 나는 내가 궁금했다. 어떨 때 마음이 강해지고, 또 어떨 때 마음이 한없이 유약해지는지. 그 누구보다도 나는 '나'와 가장 많은 시간을 보냈지만, 그 누구보다도 내가 어떤 사람인지 알 수 없었다. 그래서 문장 하나에 마음을 빼앗겨 책을 읽고, 문장 하나에 사고를 빼앗겨 책을 쓰기 시작했다.

물론 책에서 비롯된 문장만 꽂히는 건 아니다. 최근 내가 마음 뺏긴 문장은 미국의 방송인 킴 카다시안이 인터뷰에서 한 말이었다. MC가 다른 방송인들처럼 문신을 새기지 않는 이유를 묻자, 킴은 이렇게 답했다. 벤틀리에 스티커 붙인 사람 있나요? 이 말의 요지는 즉, 화려한 장식 없이도 존재 자체만으로 빛난다는 것이다. 스스로에 대한 높은 자신감을 가진 킴만이 할 수 있는 멋진 문장이었다. 그런데 이 매력적인 문장을 악용하는 경우가 많았다. 특히 문신에 대한 부정적 인식을 가진 이들은 킴의 명언을 곧잘 인용했다. 그녀의 말을 가져오는 이유는 대부분 논리적인 척, 문신한 사람들을 힐난하기 위해서였다. 나 또한 그들에게 비난받는 사람 중 하나였기에 더더욱 이러한 현상이 달갑지 않았다.

내 양팔에는 문신이 각각 하나씩 새겨져 있다. 오른팔에 새긴 문신은 초승달과 파도가 담긴 액자 그림이고, 왼팔에 새긴 문신은 도검 두 개에 찔린 심장이 피 흘리는 그림이다. 양팔에 새겨진 문신을 본 사람들은 입 모아 묻는다. 문신을 왜 했어요? 처음에는 긴 서사를 어떻게 설명해야 하나 난처했지만, 이제는 밥 먹는 것보다 쉽게 답한다. 스티커 붙인 벤틀리가 되고 싶어서요. 하하. 사실 말은 이렇게 하지만, 내 문신이 가진 의미를 생각하면 스티커보다는 반창고가 더 적확한 표현일 거다.

내가 문신을 새긴 건 스물두 살 때였다. 인생에서 가장 많이 방황했고 아팠던 시절이었다. 깊은 우울증에 앓던 나는 리스트 컷 증후군에 시달려 커터칼을 손목에 자주 가져다 댔다. 환자분들에게 처방한 약을 가져다준 뒤, 제조실에 들어가서 조용히 커터칼로 손목에 오선지를 그었다. 그러다 약국 문에 달린 종소리가 들리면 카디건 소매로 손목 가리곤 손님을 맞이했다. 이런 날들을 1년 넘게 반복했다. 너덜너

덜해진 손목을 보며 계속 이렇게 살 수 없다 생각했다. 그래서 시술을 결심했고, 문신을 새기기 위해서 손목에 붕대 감은 채 2개월이라는 인내의 시간을 가져야 했다. 2개월은 상처가 흉터로 남을 수 있는 최소한의 시간이었다. 신체적 상처뿐만 아니라, 마음의 상처도 대략 2개월쯤 걸리는 것 같다. 마음에 입힌 상처는 두 눈으로 보이지 않아서 누군가에게 "나 아파요."라고 말해봤자 신뢰성 없기에, 혼자 끙끙 앓아야만 해서 신체적 상처보다 고통스럽다. 그럼에도, 2개월 정도 푹 앓고 나면 그나마 숨통이 트인다. 원을 만났을 때에 특히 그랬다.

그 시절의 나는 지겨운 보조작가 생활을 끝낸 것에 후련하면서도 자괴감이 들었다. 드라마 작가라는 꿈 하나 때문에 없는 살림 긁어모아 서울을 올라왔는데, 이렇게 성공 가능성 높은 작품을 때려치우는 게 맞았던 걸까? 재능 없는 내 모습을 마주하고 싶지 않아서 업계 불황을 핑계로 도망치는 건 아닐까. 합리성을 고려했다고 믿은 내 선택이 혹여 의지박약에서 비롯된 것은 아닐지 불안했다. 그로 인해 잠시 묻어두었던 나의 우울증도 다시 모습을 드러내면서, 종잡을 수 없이 마음이 시끄러웠다. 하필이면 그때 원을 만났고, 그는 나에게 잊지 못할 말들을 쏟아냈다.

"너 팔에 문신 뭐야? 자해했어?"

"아니라고? 아~ 다행이다. 나 우울증 있는 사람 진짜 싫어하거든."

"너무 한심하지 않아? 그래서 난 우울증 있다고 하면 절대 친하게 안 지내."

인터넷 커뮤니티에서 우울증 혐오를 표출하는 종자와 같은 이들을 실제로 대면하는 건 처음이었다. 당황한 나머지, 어떠한 반박도 못 한 채 그의 말에 휘둘렸다. 그렇지, 불편하긴 하지. 서로를 위해서라도 연락 안 하는 게 좋긴 하겠더라. 내가 무슨 말을 내뱉고 있는지도 인지할 수 없었다. 패닉에 빠져 입 밖으로 나오는 대로 떠들고 있는데, 원은 신나서 한 마디 덧붙이더라.

"아니? 나는 그냥 내가 싫어서 연락 안 하는 건데? 그런 애들이랑 연락하고 있으면 나도 덩달아 우울해지는 거 같더라~"

원이 문장 하나하나를 내뱉을 때마다 내 마음은 갈기갈기 찢어졌다. 그때 당시에도 원은 나에게 그다지 중요하지 않은 사람이었는데, 남보다 못한 그의 말에 왜 이리도 치명상을 입는 걸까. 상처받은 것은 둘째치고, 나는 그 이유를 알고 싶었다. 내가 원의 말에 상처받는 이유를 알아내면, 상처도 자연스레 치유될 것 같았다. 하지만 원의 폭력적인 문장들은 곱씹을수록 나를 아프게 만들기만 할 뿐. 내가 갈망하는 의문에 대한 답은 주지 않았다.

얼음같이 날선 원의 말에 한참 사고를 빼앗겼던 무렵이었다. 출판사 〈글 ego〉로부터 광고 메시지를 받았다. 이전에 집필 포기한 에세이 공동 출판 프로젝트의 홍보 글이었다. 내 역량을 과대평가하고 신청했다가, 마감 기한을 지키지 못했던 과거가 떠올랐다. 유쾌하지 않은 기억에 마음이 가라앉았다. 평소 같았으면 바로 메시지 수신 차단을 했으리라. 하지만 그날의 나는 평소보다 더 우울했고, 그래서 미쳐버리기 일보 직전이었다. 내가 살아 남기 위해서는 누군가에게 우울감을 배설해야만 했다. 물론 사람을 감정 쓰레기통으로 사용하는 건 그릇된 행동임을 잘 알고 있었다. 하지만 사람이 아닌 '사람들'이라면 괜찮지 않을까? 그런 황당무계한 생각으로 프로젝트 참가 신청서를 제출했다.

프로젝트가 시작되기도 전부터 집필을 시작했다. 이번에는 꼭 출판을 해야겠다는 마음보다는, 하루라도 빨리 나의 우울을 배설하고 싶었다. 내가 쓰고 있는 문장이 비문인지, 맞춤법은 제대로 지켰는지 등의 사사로운 걱정을 할 체력도 없어서였을까. 어느 때보다도 글이 막힘없이 써졌다. 접신한 마냥 원고를 뽑아내는 스스로에게 처음으로 희열감을 느낄 정도였다. 그렇게 〈그가 내 가슴 사이즈를 물었을 때, 그는 나에게로 와서 개새끼가 되었다〉의 초고를 완성했다. 그러나, 소설 〈노인과 바다〉를 쓴 대문호 헤밍웨이는 이렇게 말했다.

모든 초고는 쓰레기다!

그건 나 또한 마찬가지였다. 애초부터 감정을 배설하기 위해 쓰기 시작한 글이었으니 당연했다. 야심차게 썼지만, 결국 최종고로 출판사에 넘기기에는 부끄러워서 컴퓨터 드라이브에 봉인시켰다. 대신 그 글을 쓰면서 느꼈던 희열감을 원동력으로 다른 원고들을 완성시킬 수 있었다.

당시 출판사에 넘겼던 원고는 며칠 전 무사히 출판되었다. 인터넷 서점들에 등록된 내 첫 에세이를 보자니, 기분이 싱숭생숭하더라. 머리카락 쥐어뜯으며 고통스레 집필했던 2개월 간의 결과물을 직접 눈으로 볼 수 있어 기쁜데, 집필 의도가 워낙 불순했던 지라 이 책이 돈 받고 팔려도 되는 건가 싶었다. 그 무렵에 동료 작가 리가 내가 쓴 에세이를 읽고 말했다.

"언니, 나는 이 문단이 너무 좋아."

리가 고른 문단은 다음과 같았다.

[업계 불황으로 보조작가를 관두고, 곧바로 B 작가님 밑에서 아주 잠깐 보조작가로 일하다 자진해서 그만두었다. 그 과정에서 또다시 '내가 작가를 꿈꾸는 게 맞는 걸까?'라는 의문이 피어올랐다. 업계는 점점 어려워지고, 내 능력은 하찮고 미미했다.]

방송업계의 불황으로 보조작가 계약을 정리해야만 했던 그녀에게 와닿는 말이었던 걸까. 리는 과분하게도 나에게 에세이 작가로서 재능이 있는 것 같다며 칭찬을 퍼부었다. 이른 나이부터 냉혹한 사회 생활을 한 탓에, 칭찬보다 독설에 익숙해진 몸인지라 그녀의 칭찬 세례에 몸둘 바를 못했다. 그렇다면, 리의 말들이 불편하기만 했냐고? 그럴 리가. 기분 좋아서 조기 승천할 뻔 했다.

내가 쓴 문장 하나에 리가 마음의 위안을 얻고, 리의 말 한 마디에 내가 글 쓸 희망을 얻는 것처럼 언어에는 힘이 있다. 하지만 많은 사람은 언어가 가진 힘을 전혀 모르는 것 같다. 어쩌면 당연하다. 언어의 힘을 알아차리기까지는 많은 불행이 필요하니까. 그러니 최연지 작가님의 에세이 제목처럼 행복한 여자는 글을 쓰지 않는다. 이미 행복한 여자는 언어의 힘을 모르기 때문이다. 누군가의 말 한 마디로 죽고 사는 경험을 해본 적 없으니, 언어에 대한 갈망이 없을 게 분명하다.

내가 원에게 상처받은 것도 같은 맥락이었을 테다. 행복을 타고나서, 말 한 마디로 죽고 사는 삶을 잠시도 살아본 적 없는 원을 보면서 나는 박탈감 들었던 게 분명하다. 하지만 그에게 받은 상처가 흉터로 남은 지금은 안다. 언어를 간과하는 자는 언젠가 반드시 언어로 피를 볼 게 된다는 필연의 법칙을. 상처받아본 자만이 상처를 치료하는 법을 안다는 당연한 진리를 말이다. 따라서 지금의 나는 함부로 문장을 배설하지 않는다. 무고한 누군가를 죽이는 문장이 아니라, 무고하게 죽어가는 누군가를 살리는 문장을 쓰고 싶으니까.

재능이고 나발이고,
그게 내가 죽을 때까지 하고 싶은 일이라는 것을 이제는 확고하게 안다.

3장

블랙 코미디

역사적으로 한국인들을 해학의 민족이라 불린다. 먼 옛날부터 음주 가무를 즐기는 모습으로부터 낙천성을 엿볼 수 있단다. 그렇다 한들 해학이 낙천적인 사람만의 전유물은 아니라고 본다. 드라마에서도 블랙 코미디를 코미디 장르로 분류하지 않는가?

불행을 팔아 행복을 살 수 있다면

좆됐다. 기어이 백만 원 단위를 넘겨버린 이번 달 신용카드 명세서를 보며 읊조렸다. 내 월급보다 많은 카드값에 지끈거리는 머리를 부여잡고 사무실 책상에 머리를 콩콩 박았다. 어쩐지 뒤통수가 따가워 탁상용 거울로 슬쩍 뒤를 보면, '쟤는 또 왜 저러나'하며 신기한 듯 바라보는 묵의 얼굴이 보인다. 왜요. 제가 아직도 반년 전에 일한 제작사에서 월급 못 받아 생활고에 시달리는 사람으로 보이세요? 아주 안목이 제대로시군요. 제기랄. 하지만 직장 상사에게 사적인 불행을 고백하는 건 아무래도 유쾌한 일은 아니기에 그저 입을 꾹 다물었다.

경제학에서는 '등가교환'이라는 개념이 있다. 이는 가치가 서로 같은 상품과 상품, 또는 상품과 화폐가 교환되는 일을 말한다. 그렇다면 나의 생활고는 어떤 것과 등가 교환될 수 있는 걸까. 정신건강? 하지만 그건 원래도 온전치 못했다. 역경을 이겨낼 수 있는 생활력? 수입은 쥐꼬리만 한데, 지출은 비대한 걸 보아하니 아직 정신 못 차린 거 같다. 빌어먹을. 튀어나오려는 한숨을 겨우 삼키곤, 때마침 울리는 사무실 전화를 받았다. 세상이 나보고 죽으라고 등 떠미는 것 같아도, 눈앞에 놓인 일은 마저 해야만 했다.

방송업계에서 도망친 지 어느덧 반년. 그러나 나는 아직도 그놈의 업계에 발이 묶여있다. 이건 모두, 임금을 체불한 정 대표 때문이었다. 성과는 없는데 무리하게 사업을 확장한다 싶었더니, 결국 정 대표는 빚더미에 앉게 되었다고 한다. 잘해보려 하다 빚만 생긴 정 대표의 사정도 안타깝긴 하다만, 가장 불쌍한 건 우리였다. 프리랜서로 계약한 나와 휘는 두 달 치 월급을 받지 못했고, 정규직 직원으로 일하던 민 피디님은 5개월 치 월급과 퇴직금을 받지 못했다. 선 감독님은 그간 작업한 원고료를 받지 못한 건 물론이거니와, 머무르던 작업실마저 정 대표에게 뺏겼다고 한다. 자기가 머무를 집이 없어졌으니 작업실에서 살아야겠다며, 선 감독님에게 나가라고 했단다. 그야말로 막장 드라마와 같은 상황이었다.

업계가 좁으니 좋게 마무리 짓고 싶어, 나와 휘는 정 대표의 답변을 계속 기다렸다. 그러나 정 대표는 매번 "다음 달에는 줄게."라는 뻔한 거짓말을 반복할 뿐이었다. 결국, 새해를 맞이하며 노동청에 진정서를 넣었다. 그러자 노동청에 출석한 정 대표는 헛웃음 치며 이렇게 말했다고 한다.

"아니, 걔네는 프리랜서면서 왜 노동청에 진정을 넣었대?"

왜겠습니까. 프리랜서라는 감투만 씌워두고 정규직처럼 알차게 부려 먹으셨으니까 노동청으로 진정 넣었죠, 씨발놈아. 한 작품의 보조작가로만 계약해 놓곤, 여러 작품의 집필을 보조하라고 시키는 것도 모자라 촬영 보조까지 시켰던 그간의 행적은 전혀 떠오르지 않는 모양이었다. 심지어 계약 종료 직전에는 9 to 6 조건으로 평일 사무실 근무까지 지시했다. 우리는 앞으로도 함께 가는 처지 아니냐며 말이다. 물론 나와 화폐가 결사반대를 외치면서 사무실 근무는 무산되긴 했다. 그러나 근로감독관은 우리의 속 깊은 사정을 알 리 없었다. 어쨌거나 프리랜서로 계약했기 때문에, 표면상으로는 일반 근로자가 아닌 프리랜서로 보일 게 당연했다.

휘가 노동청 조사에 출석한 날이었다. 근로감독관이 말하길, 근로기준법상에서 프리랜서는 근로자에 속하지 않는단다. 따라서 민 피디님과 다르게, 나와 휘는 노동청의 보호를 받지 못하는 몸이라고 덧붙였다. 이 말을 들은 휘는 패닉에 빠진 상태로 나에게 장문의 메시지를 남겼다. 요약하자면 우리가 노동청의 도움을 받으려면 계약직 근로자로 일했다는 사실을 입증해야 한다는 것이었다. 계약직 근로자로 인정받아야만, 근로복지공단에서 간이대지급금을 받거나 지급 명령 절차를 요구할 수 있었다. 지금처럼 프리랜서로 남으면 민사 재판을 준비해야 하는데, 이는 개인 간의 법적 공방이기에 체불 임금을 못 받을 확률이 높았다. 결국, 우리를 보호할 수 있는 건 우리 스스로밖에 없었다. 동대문역사문화공원역 앞에서 휘와 나는 눈물 젖은 계란빵을 나눠 먹으며 도원결의를 했다. 우리 반드시 정 대표로부터 월급 받아내자며 말이다. 그러나 비장한 각오와는 달리 상황은 매번 우리의 편이 되어주지 않았다. 노동청 조사는 진척 없었을뿐더러, 인사이동 시즌이 겹치는 바람에 담당 근로감독관마저 바뀌었다. 정 대표는 그대로 잠적했다.

하필 이 무렵에 근무하던 쇼핑몰도 혼란스러웠다. 몇 달째 계속되는 매출 하락세가 부담스러웠는지 끝내 발주 담당 과장님을 해고하기까지 이르렀기 때문이었다. 게다가 과장님의 업무는 고스란히 내 차지가 되었다. 안 그래도 생활고 때문에 반쯤 돌아버리겠는데, 업무량마저 폭등하니 정신 놓게 되더라. 그래도 나는 어른이니까. 쏟아질 것 같은 울음을 매일 삼키며 과장님 업무를 꾸역꾸역 해결했다. 하지만 노력한다고 해서 모든 결과물이 좋을 순 없는 법이다. 업무를 총괄하는 이사님의 눈에는 어떻게든 구색 맞춰놓은 업무 결과물이 만족스럽지 못했나 보다. 그렇게 이사님과의 충돌도 점차 늘어만 갔지만, 그렇다 한들 직장 동료들에게 도움을 요청할 힘은 없었다. 하다못해 예전처럼 글쓰기로 나의 우울을 배설할 힘도 남아있지 않았다.

아무 생각 없이 그저 숨만 쉬며 눈앞에 쌓여가는 일들을 기계적으로 처리했다. 자신을 지킬 힘이 남아있지 않아, 매일같이 쏟아지는 불행과 역경들을 겸허히 받아들였다. 헤엄치는 힘이 약해서 물 위를 떠도는 해파리처럼 고요히 삶을 부유했다. 앞을 가로막는 암초가 보여도 굳이 피하지 않았다. 암초에 부딪혀 몸이 찢기면, 찢긴 대로 그저 물살에 휩쓸리고, 굶주린 바다거북을 만나면 겸허히 죽음을 받아들였다가도, 파도가 예고 없이 몰아친 덕분에 얼떨결에 너울 타고 생명을 부지했다.

초경쟁사회를 살아가는 우리는 언젠가부터 자기주장을 펼쳐야만 손해 보지 않는다는 이념을 진리로 여기기 시작했다. 그래서인지 순응보다 반항하는 이에게 열광하는 사람들이 더 많아졌다. 그렇다면 그들의 시선에서 지금의 난 패배자처럼 보일까. 타인의 시선을 의식하는 건 정신건강에 좋지 않은 법이란 걸 잘 알지만, 애초부터 정신건강이 좋지 않은 나는 그게 습관이 된 지 오래였다. 물론 누군가에게 내가 패배자로 보인다 한들, 달라지는 건 없었다. 남의 시선에 의식하여 억지로 힘내기에는 난 정말 지쳐있었으니까.

그러던 어느 날, 휘로부터 장문의 메시지가 도착했다. 장장 1천 자에 육박하던 메시지는 감감무소식이던 정 대표와 연락이 닿았다는 문장으로 시작되었다. 그 내용을 간단히 요약하자면 다음과 같았다.

1. 감독관님께서 직접 메일로 〈진정 취하서〉를 보내주실 텐데, 그것을 자필로 적은 후 스캔하여 감독관님께 메일로 제출하면 됨. (형사처벌을 원하지 않는다는 내용도 들어가야 함.)

2. 노동청에서 진정 취하에 대한 절차가 진행되면 간이대지급금 서류를 감독관님께서 메일로 전달해주신다고 함. 해당 서류를 근로복지공단에 제출하면 됨.

3. 절차 진행하면, 보름 이내에 나라에서 지급됨.

4. 처음에는 정 대표와 이야기했는데, 나중에는 감독관님과 직접 통화했음. 그분이 말씀하시기를 돈을 빨리 받고 싶은 거면, 이 방법이

서로에게 좋을 것 같다며 알려줌.

즉, 나라에서 돈 받을 수 있게 계약직 근로자로 인정해줄 테니 진정 취하하란 소리였다. '형사 처벌을 원하지 않는다'라는 문장이 자필로 써야 한다는 점은 마음에 들지 않았지만, 그렇다고 진정 취하서를 쓰지 않을 순 없었다. 이 지긋지긋한 생활고에서 조금이라도 벗어날 수 있다는데, 당연하지 않겠는가? 휘의 메시지를 읽은 후, 업무를 재빠르게 마친 나는 곧바로 진정 취하서를 출력했다. 망설임 없이 인적 사항을 작성했다. 그러나 맨 마지막, 취하사유 및 쥐꼬리만 한데 관한 의사 항목에 멈칫했다. 회사 돈으로 자신의 사리사욕을 챙기고, 임금도 주지 않고 직원들을 촬영장에서 부려 먹던 정 대표가 떠올랐기 때문이었다.

정 대표의 제작사에서 함께 일했던 사람들은 모두 같은 입버릇을 가지고 있었다. 아, 정 대표 감빵 가야 하는데. 그 입버릇처럼 정 대표는 형사처벌을 받아야 마땅한 사람이었다. 아주 잠시 고민했지만, 이내 나는 '형사처벌을 원하지 않음'이라고 취하사유를 기재했다. 급작스레 작고하신 셋째 외삼촌의 장례식장 복도 구석에서 작가님이 지시한 대로 대본을 수정할 때도, 과중한 업무 부담을 알아주지도 않는 이사님에게 싫은 소리를 끊임없이 들어도, 퇴근 시간이 훌쩍 지난 시간까지 아무도 없는 사무실에서 혼자 남은 일을 해도 정말 아무렇지 않았는데, 그 취하사유를 써야 했던 순간만은 비참했다. 그러나 감정은 사라지고, 결과는 남는 법이다. 사흘 뒤에 입금된 체불 임금 185만 원을 바라보며 나는 아주 오랜만에 환히 웃었다. 그간 누적된 슬픔과 비통은 순식간에 전부 무용한 것이 되었다.

언젠가 드라마 〈안나〉에 나온 대사가 화제를 얻은 적이 있다. 세상엔 돈으로 안 되는 게 없는데, 만약 안 되는 게 있다면 혹시 돈이 부족해서가 아닐까 생각해 보자. 자본주의 사회를 살아가는 사람들이라면 어느 정도 공감할 수밖에 없는 대사였다. 그렇다면 이제 행복도 돈으로 살 수 있는 사회가 된 걸까. 반대로 돈이 없으면 불행해지는 게 당연한 결과인 걸까. 나는 잘 모르겠다. 분수 넘치게 돈을 가져본 적이 있어야 알 텐데, 유감스럽게도 아직 그런 경험이 없어서 말이다. 하지만 이것만큼은 안다. 불행은 돈이 된다.

최근 브이로그 유튜버 사이에서는 일부러 영상 제목과 썸네일을 만들 때 불행한 느낌을 극대화하는 것이 유행이다. 행복한 사람의 일상은 꼴 보기 싫지만, 불행한 사람의 삶에서는 위안을 얻는 시청자들의 심리를 파악한 거다. 실제로 어느 나보고 '혼자서 잘 먹고 잘 사는 40대 비혼 여성의 일상'보다는 '비혼 선언을 후회하는 40대 여성의 고독한 일상'이라는 타이틀을 걸었을 때, 영상 조회 수가 훨씬 많이 나왔다고 고백했다.

행복을 돈으로 살 수 있는 사회는 아포칼립스나 다름없다고 생각한다. 하지만 그런 세상이 도래했다 한들, 나는 이념에 반항할 정도로 간 큰 사람은 되지 못한다. 지금처럼 물 위를 부유하는 해파리처럼 물 흐르듯 살아가겠지. 하지만 부조리를 모른 체하며 살아가기엔 내가 오지랖이 꽤 넓다. 그러니 나는 순응을 바탕으로 살되, 마음에는 항상

반항을 품고 있을 거다. 행복을 돈으로만 살 수 있는 사회라면, 나의 불행을 팔아 부정한 행복을 사들이겠다. 그리하여 먼 미래에는 반드시 정당한 반란을 일으키리라.

난편한 각색

웹툰 원작 드라마가 쏟아지는 요즘. 이러한 드라마판 추세로 인해 각색의 허용 범위를 고민하는 작가들이 늘어가고 있다. 원작은 어디까지 반영해야 하며, 각색은 어디까지만 해야 할까. 원작이 흥행 성공한 작품일수록 고민은 더욱 깊어진다. 원작에 대한 충성도 높은 팬들의 분노를 사지 않도록 조심해야하기 때문이다. 나 또한 보조작가로서 참여한 두번째 작품이 웹툰을 원작으로 했었기에, 아주 오랫동안 각색의 허용 범위를 고민했었다.

당시 내가 참여했던 작품 B는 그냥 웹툰도 아닌, 그야말로 '초대박'이 난 웹툰을 원작으로 했었다. 완결난지 2~3년이 되었음에도 웹툰 팬들 사이에서 회자되며, 유명 가수들과 콜라보한 음원도 꾸준히 나올 정도의 인지도였다. 일주일내내 봐야하는 웹툰 작품이 정해져있는 오타쿠인 나는 물론이거니와, 웹툰을 전혀 보지 않는 휘도 즐겨봤을 만큼 대대적으로 큰 인기를 얻은 작품이었다. 따라서 B 작품의 드라마화를 우리가 진행한다는 건 기쁨을 넘어 영광, 그 자체였다. 나와 휘는 B 작품의 보조작가로 발탁된 그날, 작업실에서 나오자마자 삼바춤을 추며 퇴근했다. 그때는 전혀 몰랐던 거지. 인지도를 이미 확보한 B 작품의 IP가 드라마판을 계속 돌고 돌아, 파산 직전인 우리 제작사에 도달한 이유를.

이목은 양날의 검과 같다. 약물 복용량에 따라, 약과 독이 좌우되듯 말이다. B 작품의 경우에는 대중의 관심도가 적정 복용량을 훨씬 넘은 상태였다. 어느 날은 B 작품의 캐스팅 진행 상황이 인터넷에 유출된 적이 있다. 감독과 주연 배우, 심지어 방송사마저 확실히 정해진 것이 없는 상황이었는데 로맨틱코미디 장르에 능하신 양 감독님이 해당 작품을 맡게 되었다는 찌라시가 퍼진 거였다. 실제로 양 감독님과 미팅을 진행한 적도 있었으나, 그 시점에서는 완전히 결렬된 상황이었다. 그러나 그 사실을 모르는 네티즌들은 양 감독님이 총괄로 발탁되었다는 찌라시를 접하고, 잔뜩 기대하는 반응이었다.

물론 모든 사람이 긍정적인 반응을 보이진 않았다. 원작 작품을 너무 사랑했던 팬들은 드라마화 사실 자체를 비난했다. 웹툰은 웹툰으로 봤을 때만 재밌는 거라며 말이다. B 작품을 좋아하는 나로서는 사실 어느정도 공감가는 이야기였다. 어떤 방식으로 각색을 잘 하더라도, 원작의 재미를 그대로 살리는 것은 누구도 할 수 없을 테다. 그건 원작가 자신도 불가능하다고 보는데, 이는 테세우스의 배와 같은 맥락이다.

미노타우로스를 죽인 후, 아테네에 귀환한 테세우스의 배를 아테네인들은 팔레론의 디미트리오스 시대까지 보존했다. 그들은 배의 판자가 썩으면, 낡은 판자를 떼어버리고 더 튼튼한 새 판자를 그 자리에 박아 넣었다. 커다란 배에서 겨우 판자 조각 하나를 갈아 끼운다 한들, 이 배가 테세우스가 타고 왔던 배라는 사실은 달라지지 않는다. 한 번 수리한 배에서 다시 다른 판자를 갈아 끼운다 한들, 마찬가지로 변함없다. 하지만 계속 낡은 판자를 갈아 끼우면 어떻게 될까? 어느 시점에는 테세우스가 있었던 배의 원래 조각은 하나도 남지 않을 테다. 그렇다면 그 배를 '테세우스의 배'라고 부를 수 있을까.

B 작품도 마찬가지다. 해당 작품의 내용을 그대로 영상화하겠다며 노력한다한들, 2D를 3D로 대체하는 과정에서 오류가 생길 수밖에 없다. 예를 들면, 그림으로밖에 표현되지 않는 남녀주인공의 완벽한 미모와 특유의 분위기. 그 캐릭터의 성장과정과 성격 등을 종합적으로 고려하여 하나하나 설정된 비주얼이기 때문에, 제 아무리 뛰어난 미모를 가진 배우들을 캐스팅한다고 해도 원작 캐릭터과 완벽히 부합할 순 없다. 또 다른 예로는 장소 협찬이나 PPL 같은 경우가 있다. 원작을 최대한 반영하고 싶어도 수익 창출을 위해 어쩔 수 없이 포기해야만 하는 설정들이 있다. 이는 기본적으로 드라마는 상업예술이기에 발생하는 이슈다.

그렇다면 원작자가 직접 드라마화에 참여하면 어떨까? 이 경우에는 각색 작가를 따로 구할 때보다 훨씬 원작과 비슷한 작품을 만들어낼 수 있을 테다. 원작 웹툰 작가의 참여로 에피소드 각색에 높은 퀄리티를 보여준 드라마 〈유미의 세포들〉처럼 말이다. 하지만 원작자가 A부터 Z까지 하나하나 신경을 기울인다고 해도, 드라마가 상업예술이라는 사실은 달라지지 않는다. 따라서 앞에서 언급했던 캐스팅, 장소 협찬, PPL 등의 경우에는 원작과 틀어지기 일수다.

만약 테세우스의 배를 직접 만든 목수가 신의 은총을 받아 기적적으로 팔레론의 디미트리오스 시대까지 살아있었다고 가정해보자. 배의 판자가 썩어버릴 때마다 목수는 판자 조각을 새로 갈아끼운다. 생판 남이 판자를 고치는 것보다는 직접 테세우스의 배를 만든 목수가 작업한 결과물이 훨씬 퀄리티는 높을 테다. 그러나 계속 낡은 판자를 갈아 끼우면, 어느 시점에는 테세우스가 있었던 배의 원래 조각은 똑같이 하나도 남지 않을 거다. 그럼에도 그 배를 테세우스의 배라고 부를 수 있을까. 테세우스의 배를 만든 목수가 고쳤다는 이유만으로 그리 말하는 게 맞을까.

판자를 갈아끼우지 않은 시점에서의 배를 '원품'이라고 칭해야 한다면, 나는 판자 한 조각이라도 갈아끼운 후부터의 배는 '파생품'이라 부르고 싶다. 미노타우로스를 죽인 후, 아테네에 귀환한 테세우스의 배는 A부터 Z까지 완전했다. 그러니 설상 판자 하나라 할 지라도 대체되는 순간부터 더이상 테세우스의 배라고 부르기엔 어려움이 있다. 오로지 그 시절, 항구에서 사람들이 보았던 '테세우스의 배' 그 자체만이 원품인 것이다. 그 외에는 모두 원품에서 비롯된 파생품에 불과하다.

그렇게 생각을 정리한 뒤로, 나는 좋아하던 작품이 다른 콘텐츠로 각색화 되어도 분노하지 않았다. 원작자가 가장 처음 만들었던 작품만이 '원작'이고, 나머지는 전부 '파생작'이라고 생각하니 마음이 편안했다. 원작 설정만 가져다가 새로 쓴 작품이든, 원작 내용과 완전히 다른 작품이든, 원작 설정과 내용 모두를 훼손하는 작품이든, 불필요한 감정의 개입 없이 그 작품으로만 바라보며 감상할 수 있었다. 어차피 이 작품들은 테세우스의 배에서 파생된 것에 불과할 뿐. 내가 사랑한 테세우스의 배는 마음 속에 온전히 살아있으니까.

국어사전에 '각색'을 검색하면 여러 가지 의미가 나온다. 그 중에는 각색(脚色)과 각색(各色)에 대해서 이야기하고 싶다. 다리 각(脚)과 빛 색(色)으로 구성된 각색(脚色)은 서사시나 소설 따위의 문학 작품을 희곡이나 시나리오로 고쳐 쓰는 일을 일컫는다. 앞에서 언급한 '드라마 각색화'라는 표현에서 사용된 '각색'이라는 단어는 바로 이 의미다. 반면 각각 각(各)과 빛 색(色)으로 구성된 각색(各色)은 갖가지의 빛깔이라는 뜻이다. 일상생활에서 흔히 쓰는 '가지각색의 사람이 있다'라는 표현에서의 '각색'과 동일한 의미다.

세상에 별별 사람이 있듯, 별별 작품도 있고, 별의 별 취향도 다 있다. 그렇기에 지금 이 시간에도 가지각색의 작품들이 저마다 다른 타겟층을 가지고, 저마다의 다른 콘텐츠로 각색되고 있다. 그러니 만약 당신이 사랑하는 작품 또한 원치 않는 방향으로 각색된다고 한들, 과하게 감정을 쏟지 않길 바란다. 그 파생품이 그대의 시선에는 아주 엉망진창으로 보일 수도 있지만, 인생은 모르는 법이다. 그대에게는 파생품에 불과한 것이 누군가에게 테세우스의 배가 될 수도 있다. 그리고 애초에 당신이 사랑한 테세우스의 배는 파생품으로 인해 훼손 당하는 일은 없다. 따라서 파생품을 보며 분노할 시간에 당신의 원품을 다시 한번 감상하시길 바란다. 이건 각색 작품을 보며 분노해보고, 작품을 각색하며 울어도 본, 그간의 경험에서 우러나온 당사자성 발언이다.

작가 지망생도 생이고, 도망친 작가도 작가다

봄이 다가온다. 겨울을 맞이하기 직전에 온몸을 감싸고 있던 잎들을 다 던져버린 나무는 또 다른 잎을 만들기 위해 열심히 준비한다. 사무실 막내 직원의 말에 따르자면, 지금은 황량하기 짝 없는 창밖의 나무들이 봄이 되면 벚꽃을 화려하게 피워낸단다. 아름다울 게 뻔한 벚나무의 모습을 상상하며 설레하다가도, 기분이 가라 앉는다. 사무실에 한없이 고여있는 나와 다르게, 나무들은 쑥쑥 자라구나 싶어서.

갓생, 걍생, 망생 등... 인생의 형태를 일컫는 표현이 몇 가지 있다. 갓생은 신(神)을 의미하는 영어 단어 God과 날 생(生)의 합성어로, 신과 같이 부지런한 삶을 의미한다. 한편 걍생은 '그냥'의 줄임 표현인 '걍'과 날 생(生)의 합성어다. 이는 갓생처럼 부지런진 않지만, 그냥저냥 살아간다는 의미다. 그렇다면 망생이란 무엇이냐. 모두가 직감하듯, 망할 망(亡)과 날 생(生)이 합쳐진 말이다. 간단히 말해 '망한 인생'이라는 거다.

항암 치료 받는 엄마의 병간호와 병행하여 습작품을 집필하는 생활을 반복하던 무렵. 이따금 나는 작가 지망생의 '망생'은 바로 이 의미가 아니겠냐며 친구들에게 자학 개그를 하곤 했다. 그럴 때마다 천사같이 착한 친구들은 너 같이 열심히 사는 애가 어디 있냐며 위로하였지만, 그 말을 들으면 어쩐지 내 양심이 쿡쿡 찔려왔다.

지망생을 자처하면서 정작 제대로 된 습작품은 쓰지 않는 사람. 흔히 입망생이라고 한다. 그 시절의 나는 사실 지망생보다는 입망생에 가까웠다. 첫번째로 쓴 습작품 〈사모의 시대〉 이후에 별다른 집필 연습을 하지 않았다. 어떨 때는 이러한 나태의 출처를 모두 엄마의 투병 생활로 몰아가기도 했다. 아픈 엄마를 보살펴야 하니까, 내가 습작품을 쓸 때가 아니라며 변명했다. 그러면서도 마음 한편에는 아픈 엄마를 향한 미움을 키워나갔다. 그러니까 한 마디로 정리하자면, 스스로의 게으름을 상황 탓하는 못난 년이었다는 거다.

　머리로는 부정했지만, 실은 알고 있었다. 제대로 된 습작품 하나 없는 망한 인생을 살게 된 건 전부 나의 탓이라는 것을 말이다. 이대로 살고 싶지 않았다. 그래서 단 하나밖에 없는 습작품을 〈사모의 시대〉를 개작하기 시작했다. 엉켜버린 실타래를 다시 풀어내 뜨개질을 하는 것처럼, 엉망진창으로 마무리한 습작품을 다시 분해했다. 이번에 제대로 조립한다면 내가 나 자신을 조금이라도 예쁘게 볼 수 있을 것 같았다. 그렇게 6개월 간 〈사모의 시대〉를 개작한 습작품이 〈불 꺼진 교실〉이었다.

　이 습작품 속에서 남자 주인공 태산은 그대로였지만, 여자 주인공은 윤이가 아닌 나랑이라는 아이였다. 줄거리를 요약하자면, 21세기 현대에 사는 영어 교생 나랑이 1920년대 일제강점기 시절로 트립하여 독립운동가 태산을 만나고, 그로 인하여 독립운동에 휘말리며 벌어지는 이야기다. 기존에는 정통 로맨스 시대극이었다면, 개작하는 과정에서 판타지 로맨스 시대극으로 완전히 탈바꿈했다. 당시에 작업을 마무리했을 때는 장르의 특성상 시청자들의 흥미를 유발하기

쉬웠기에 적어도 내가 읽었을 때는 재미있었고, 굉장히 흡족했다.

그러나 이 습작품에는 치명적인 문제들이 있었다. 여러 가지 문제가 있었지만, 가장 큰 문제는 두 개였다. 첫 번째 문제는 내가 태산을 너무나 사랑했다는 점이었다. 분명 이야기의 주인공은 나랑인데, 감정선은 태산에게 집중되었다. 우습게도 감정에 취한 탓에 대본을 쓸 때는 전혀 알지 못했는데, 완성한 습작품을 다시 읽었을 때 알아차렸다. 나는 태산을 너무 사랑했다.

두 번째 문제는 모든 인물이 너무나 쉽게 사랑에 빠진다는 점이었다. 심지어 그 사랑은 무척 맹목적이었다. 작중에서 태산은 죽은 연인의 유골을 되찾기 위해 독립운동을 같이한 동료들을 배신한다. 그러나 윤이와 닮았다는 이유로 나랑에게 사랑을 느끼고, 끝내는 죽은 연인의 유골뿐만 아니라 자신의 목숨까지 포기해서 위기에 빠진 나랑을 구한다. 독립운동을 같이한 동료들까지 배신할 정도로 윤이를 사랑한 태산은 나랑에게 너무나도 간단히 사랑에 빠졌다. 사실 이 피드백은 작가교육원 동기들에게 들었던 내용이다. 당시에 해당 피드백을 받았을 때는 굉장히 부끄러워서 쥐구멍에라도 숨고 싶었다. 금방 사랑에 빠지는 내 성격이 고스란히 대본에 드러난 것 같았다.

아주 어렸을 때부터 모든 것을 쉽게 사랑하고, 쉽게 질려했다. 사람이든, 게임이든, 물건이든 말이다. 어른이 되어서는 특히 직장과 사람에게 그랬다. 이런 성격 때문에 옷 갈아입듯 직장도 사람도 쉽게 여러 번 바꾸었다. 그런 내가 유일하게 질리지 않고 꾸준히 해온 게 글쓰기였다. 사실 글쓰기는 단순한 취미 활동을 넘은 존재였다. 여섯 살 생일 무렵에나 겨우 말이 트일 만큼, 말재주가 없는 나의 오랜 생존 수단이었다. 어쩌면 사랑의 대상이 아니라 생존 수단이었기에, 지금까지 꾸준히 해왔던 게 아닌가 싶기도 하다.

그런데 작가교육원 합평 날. 〈불 꺼진 교실〉에 대한 가지각색의 혹평을 듣게 되면서 유일하게 오랫동안 해온 글쓰기 능력마저 형편없음을 깨닫게 되었다. 말보다는 그나마 잘한다고 생각했는데, 나는 말로도 글로도 제대로 표현할 줄 모르는 사람이었다. 그 생각이 들면서 나는 작가를 꿈꾸는 걸 접을까 진지하게 고민했었다. 생각해 보면, 나는 글 쓰는 행위를 좋아하는 게 아니라 '작가' 대우를 받는 걸 더 즐거워했기 때문이었다. 작가가 되고 싶은 걸까, 명예가 얻고 싶은 걸까. 그 고민을 진지하게 여길 때부터 드라마 보조작가 생활을 시작했다. 적성에 맞지 않으면 일찍이 그만두고, 다시 평범한 사무직 직장인으로 돌아가자. 그렇게 결심하였으나... 다행인지 불행인지. 보조작가 생활은 의외로 나와 잘 맞았다.

드라마화할 원작 작품을 분석하는 것도, 새롭게 에피소드를 구상하는 것도, 씬 하나하나를 다듬는 것도, 재밌어서 시간 가는 줄 모를 정도였다. 시공회사에 다녔을 때는 10분만 야근해도 질색했는데, 매일매일 새벽까지 일해도 즐거웠다. 아마 성취감 높은 창작 활동으로 인한 도파민 폭발로 조금 미쳤었던 게 분명했다. 하지만 모두가 알다시피 노력과 결과는 항상 비례하지 않는다. 온 마음을 다 해 준비하던 작품들은 엎어지고, 이번에는 될까 싶었는데 엎어지고, 몇 차례 편성 회의에 올라갔지만 결국 또 엎어지고, 그렇게 계속 엎어졌다. 반복되는 프로젝트의 무산과 나날이 밀려가는 월급에 지친 나는 결국 제작사와의 보조작가 계약을 끝냈다. 이윽고 일일 드라마계의 거장, 모 작가님과 감사하게도 연이 닿았다. 제작사를 나온지 얼마 되지 않아 심신이 지친 상태였음에도, 모 작가님이 제시한 높은 페이에 눈 멀어 바로 계약을 진행했다. 생활고로 인해 페이와 업무 강도는 정비례한다는 진리를 완전히 잊어버렸던 거다.

모 작가님의 보조작가로 일한 건 딱 5일이었는데, 그 기간 동안 나는 잠을 잔 기억이 거의 없다. 탈고된 대본만으로 작품을 분석하고, 17쪽 분량의 테스트 대본까지 작성하느라 정신 없었기 때문이었다. 그렇지 않아도 바빠 죽겠는데, 하필이면 그 무렵에 엄마의 정기검진 날이 돌아왔다. 엄마가 살고 있는 광주로 가던 나는 고속버스 안에서 테스트 대본을 작성하다 아주 잠깐 잠에 들었다. 대본을 마무리 지어야 한다는 압박감이 커서였을까. 내가 쓴 대본 내용을 그대로 꿈으로 마주했다. 그러다 핸드폰 진동에 깬 나는 정신이 번쩍 들었다. 순간적으로 '여기가 어디지? 나는 방 회장의 아들(가명, 작품에 나오는 작중 인물)을 만나러 가야 하는데….' 라는 이상한 생각에 휩싸였는데… 48시간째 잠들지 못해서 현실과 꿈을 혼동한 거였다. 내가 꾼 꿈이 그저 꿈에 불과하다는 것을 인정하기까지, 꼬박 5분이 걸렸다. 그리고 이내 깨달았다.

어린 나이에 꿈 이루려다가, 어린 나이에 죽겠다!

광주에 도착하자마자 모 작가님에게 연락했다. 저 그만두겠습니다. 갑작스러운 계약 종료 통보에 모 작가님은 한껏 당황했다. 이유가 뭔가요? 미리 준비한 퇴사 시나리오 범위에 있던 질문이라 어른스럽게 답하려고 했는데, 심신이 지친 상태라 그랬을까. 퇴사 이유를 술술 잘 말하다가 불현듯 눈물 터졌다.

제가 작가님을 모시기에 아직 많이 부족한 것 같아요. 죄송해요.

그 뒤로 나는 한동안 제대로 된 문장을 구사하지 못한 채 훌쩍거리기만 했다. 아직도 그날을 떠올리면 모 작가님에게 참 죄송하다. 딱 5일 일했으면서 뭐가 그리 서럽다고 우는지. 내가 모 작가님이라면 황당해서 뒷목 잡았을 테다.

모 작가님과의 인연을 마지막으로 나는 방송업계에서 도망쳤다. 그 결정에 후회하지 않지만, 이따금 생각한다. 만약 독하게 버텨서 모 작가님을 모셨다면 어땠을까? 5일 동안 나는 작품 분석에 대본 작성까지 하면서 놀라울 정도로 집필 속도가 빨라졌다. 이전에는 문장 하나하나 고심해서 쓰느라 습작품 집필 기간이 1년이 넘어갔다. 그런데 모 작가님을 모신 5일간의 경험 이후, 가장 최근에 탈고한 습작품 〈리셋걸 오버도즈〉를 썼을 때는 딱 1달이 걸렸다. 마지막 씬을 완성하고 '엔딩'을 쓰면서 대본을 마무리했을 때는, 정말 형용할 수 없는 기분을 느꼈다. 만약 모 작가님을 지금까지 계속 모셨더라면 더 빠르게 성장하지 않았을까. 그러한 욕심이 순간 들었지만, 이내 접었다.

세 계절 동안 정성 들여 잎을 키운 나무는 겨울이 오기 직전에 과감히 버린다. 새로운 잎을 만들 수 있음을 알기 때문이다. 나뭇가지에서 떨어지는 잎들은 나선형으로 비행하며 죽음을 맞이한다. 하지만 잎 또한 알고 있다. 자신의 추락은 나무의 새로운 성장을 돕는 밑거름이 되리란 사실을. 어쩌면 사람도 마찬가지인 것 같다. 지금의 나를 구성하는 모든 것을 벗어 던질 때, 또 다른 나를 맞이할 수 있다.

인생이 성장하는 형태는 2차원에서 그려지는 선형이나 비선형 함수가 아닌 '나선형'이라고 한다. 생각해보면 우리가 살아가는 자연계는 대부분 나선형으로 이루어진다. 나선형을 띈 앵무조개의 횡단면과 피보나치 나선 배열의 해바라기씨와 솔방울, 그리고 나무가 품고 있는 나선형의 나이테까지. 하다 못해 인간을 구성하는 DNA 또한 이중 나선 구조를 띄지 않는가.

우리의 나선형 인생은 위에서 바라보면 제 자리를 맴도는 것처럼 보인다. 그래서 내 자신이 한 자리에 머무르는 고인 물처럼 느껴지는 순간이 분명히 찾아온다. 이렇게 썩어버리면 어떡하냐며 걱정하는 때도 올 지 모른다. 그럴 때는 잠시 침대에 누워, 우리의 인생을 옆에서 바라보자. 빙글빙글 돌고 있지만, 착실하게 위를 향해 올라가고 있는 우리의 모습을 똑바로 지켜봐야 한다. 새로운 성장을 위해 전진과 퇴행을 반복하는 모습이 얼마나 가련하고도 위대한지. 우리 스스로만큼은 잘 알아줘야 한다. 어차피 다른 사람들은 다 몰라주니까.

슬퍼도 술에 먹히지 말기

드라마 〈그레이 아나토미〉와 〈서른, 아홉〉의 공통점이 무엇일까? 장르도, 방송사도, 심지어 출연 배우들의 국적도 다르다. 하지만 두 작품 모두 주인공들이 술에 취해 함께 보내고, 다음날 직장에서 다시 마주친다는 클리셰를 적용하고 있다. 〈그레이 아나토미〉에서는 메러리스와 데릭이 그러하였고, 〈서른, 아홉〉에서는 미조와 선우가 그러하였다. 이처럼 드라마에서는 매번 주인공들이 술 먹고 사고를 친다. 특히 현존하는 한국의 드라마 주인공들 중 알코올 분해 능력이 없는 사람은 없는 거 같다. 대한민국이 유독 술에 관대한 나라라서 더욱 그런 것 같다.

하지만 나도 어쩔 수 없는 대한민국 사람이라서, 술에 관대하기로는 둘째가라면 서럽다. 언젠가 룸메이트 희는 내 이름이 술 '주'에 나타날 '현'이 분명하다고 말했다. 술이 있는 곳에는 무조건 나타난다며 말이다. 어릴 때는 마냥 웃어넘겼는데, 점차 나이를 먹어갈수록 마냥 웃을 일은 아닌 것 같다. 지금까지 술을 먹고 저지른 흑역사를 기재한다면 분명 팔만대장경을 뛰어넘으리라.

시공회사에 다녔을 무렵, 워크샵에서 술을 진탕 마신 적이 있다. 나와 사수 언니를 제외한 임직원분들 모두가 남성분이라 주량에는 일가견이 있으셔서 그들의 속도에 맞추느라 취한 것도 있었다. 하지만 처음 가는 워크샵이라 들뜬 마음이 더 컸다. 모두가 취한 분위기 속에서 회장님께서는 돈을 줄 테니 술을 따라보라는 말씀을 하셨다. 그러자 현장 소장님들도 하나둘 현금을 쥐어주며 나와 사수 언니에게 술잔을 내밀었다.

취기가 오른 사수 언니는 넉살 좋게 술을 따랐지만, 나는 이 분위기가 도통 적응되지 않았다. 내가 마치 술집 여자가 된 것 같았고, 더 나아가 기쁨조가 된 기분이었다. 이게 맞나? 의구심을 품으면서도 사수 언니를 따라 술을 따랐다. 그러자 그 모습을 조용히 지켜보던 최 과장님이 한 마디했다.

"이야, 술 따르고 돈 많이 벌어서 좋겠네?"

평소 장난끼 많은 성격이기에 그 또한 장난인 줄 알았다. 하지만 그 순간만큼은 난 정말 술집 여자가 된 것 같아 모욕적이었다. 숙소로 돌아간 나는 만취한 사수 언니를 침대에 눕힌 후, 베란다에 나갔다. 곧이어 친구 진에게 전화하며 엉엉 울었다.

내가 무슨 기쁨조냐고, 씨발... 존나 수치스러워!

그 말을 마지막으로 내 기억은 끊겼다. 정신 차리니 다음날 아침이었다. 버스 출발까지 얼마 남지 않은 시간이었기에, 바닥에 흩어져있던 짐을 허겁지겁 가방에 챙겼다. 그때 몸통만한 구멍이 난 방충망을 발견하였다. 오싹해지는 등골과 함께 어젯밤의 일이 번뜩 떠올랐다. 진에게 하소연을 하겠다는 마음이 앞서서, 방충망 문을 열지도 않고 그대로 몸으로 뚫고 베란다로 나섰던 내 모습이 선명하게 떠올랐다. 제기랄...

이후 나는 혹여 이 창피한 일화가 워크샵을 주도한 최 과장님 귀에 들어갈까 조마조마했다. 그러나 다행히도 최 과장님은 내가 퇴사할 때까지 따로 무어라 말하지 않았다. 정말 몰랐던 건지. 아니면 (직장에서만큼은) 취해도 평소에는 사고 안 치던 애가 안 하던 짓을 한 게 딱해서 조용히 묻어준 건지. 그 내막은 알 수 없지만 말이다.

술은 다른 말로 아가타라고 한다. 아가타는 온갖 병을 고친다는 인도의 영약을 가리키는 말로, 이것에는 모든 번뇌를 없애는 영묘한 힘이 있단다. 술을 아가타라고 부르기도 하는 것처럼, 어쩌면 우리는 번뇌를 잊기 위해 애써 술을 찾는 건지도 모르겠다. 번뇌에 휩싸이면 죽기보다도 고통스러워지니까. 실은 나 또한 이 글을 쓰는 지금도 맥주를 홀짝거리고 있다. 이렇게 살고 싶지 않은데, 이렇게 살 수밖에 없는 내 인생이 싫어서. 내 주위를 둘러싸고 있는 모든 환경이 꼴보기가 싫어서.

슬퍼서 술을 퍼마실 때마다 기억나는 사람이 있다. 그 사람의 이름도, 나이도, 심지어 직업도 알지 못한다. 하지만 출근길 아침에 비즈니스 빌딩 1층 편의점을 들려 작은 소주팩을 구입한다는 사실은 알고 있다. 손바닥만한 소주팩을 가방에 넣으며 힘없이 터덜터덜 걸어가는 그분의 뒷모습이 선명하다. 어느 순간부터 보이지 않는 걸 보면, 아마 직장을 그만두신 게 아닌가 싶다. 업무량이 늘면서 직장생활이 고달파진 요즘 들어서 더욱 그분이 생각난다. 아마 지금의 나만큼이나 삶이 괴로워 출근길 아침마다 술을 사가신 거겠지. 하지만 번뇌는 본래 잊는 게 아니라 극복하는 망념이다. 몰려오는 번뇌를 잊겠다고 계속 술을 남용해서는 안 되는 거다.

　내가 시공회사를 다녔던 당시, 팬데믹 발발로 인해 경영이 위태로워졌다. 자금 관리를 총괄하던 상무님은 어느 날부터 매일 아침마다 소주를 샀고, 매일 소주와 함께 밤 새며 업무를 하셨다. 잠시라도 번뇌를 잊기 위해 술을 마시고, 계속 마시고, 무언가에 홀린 듯이 마시던 상무님은 결국 그 다음 해에 갑작스러운 부고 소식만을 남긴 채 세상을 떠나갔다. 이처럼 술이 선사한 망각은 아주 잠시일 뿐. 번뇌는 죽지 않고 돌아오고, 결국 우리는 번뇌를 다시 마주해야 한다. 그렇다면 번뇌를 마주했을 때, 어떻게 하면 좋을까.

　송나라 승려 대혜가 쓴 불교서 〈서장〉에서는 유시랑이라는 인물이 나온다. 유시랑은 당시 장관급의 고위 관료였는데, 나와 마찬가지로 번뇌에 대한 고민이 컸나 보다. 어느 날, 유시랑은 선정에 통달하였다고 소문자자한 대혜에게 물었다고 한다.

　"어떻게 하면 이 복잡한 세상, 그리고 치열하게 타오르는 번뇌를 피해 살 수 있겠습니까?"

　그러자 대혜가 답했다.

　"거사님. 예전에 어떤 수행승이 노선승에게 이렇게 물었소. '세계가 이렇게 뜨거운데, 어느 곳에 가서 피하는 것이 좋겠습니까?' 그러자 노선승은 '확탕노탄 속에서 피하시오.'라고 말씀하셨소. 수행승이 황당해하며 '확탕노탄 속에서 어떻게 피한다는 것입니까?'라고 되묻자, 노선승이 답했소. '그 속에는 갖가지 고통이 이르지 못하기 때문이오.'"

여기서 나오는 '확탕노탄'은 가마솥과 용광로를 의미한다. 세상이 너무 뜨거우니 어디로 도피하면 좋겠냐 물었더니, 열이 펄펄 끓는 가마솥과 용광로 속으로 피하라고 하다니. 도대체 무슨 소리인가. 물론 천자에게 '선사'라는 품격 있는 승려는 '이열치열'의 개념으로 유시랑에게 이 이야기를 소개해줬겠으나, 내가 유시랑이었다면 이열치열이 아니라, 지랄 개지랄로 여겼을 듯하다. 그렇지만 한 발자국 뒤로 가, 이성적으로 생각해보면 번뇌가 몰아치는 세속을 떠난 자는 끝내 번뇌를 극복할 순 없을 테다. 그건 환경적인 치료일 뿐, 근본적인 치료법은 되지 못한다.

이쯤에서 다시 한 번 번뇌의 의미를 곱씹어보자. 국어사전에 검색하면, '마음이나 몸을 괴롭히는 노여움이나 욕망 따위의 망념'이라는 의미가 나오는 것처럼 '번뇌'라는 단어는 '번거로운 번(煩)'과 '번뇌할 뇌(惱)'로 구성되어 있다. 여기서 '번뇌'라는 의미를 온전히 가진 뇌(惱)라는 글자에 초점둬보자. 의미 요소인 왼쪽 한자는 마음 심(心)이고, 발음 요소인 오른쪽 한자는 골 뇌(腦)다. 한자 풀이한 순서를 그대로 역행해보면, 머리(腦)와 마음(心)이 만나면서 번뇌(惱 or 煩惱)가 일어난다고 해석될 수 있다.

왜 머리와 마음이 만나면 번뇌가 일어나는 걸까. 이는 즉, 이성과 감성의 대립으로 해석될 수 있다. 우리는 수많은 오늘을 살아가면서 매순간 이성과 감성의 대립을 겪는다. 머리로는 언제나 그랬듯이 출근해서 일을 하는 게 맞다고 하는데, 마음은 일 따위 모르는 척하고 그냥 침대에 누워 모자란 잠이나 마저 자고 싶다고 한다. 머리로는 이 사람을 좋아해봤자 감정적으로도 시간적으로도 손해라고 하는데, 마음은 그냥 이 사람을 좋아하고 싶다고 한다. 이러한 내적 갈등에서 번뇌가 발생한다. 마음이 이끌리는 대로만 하며 살고 싶지만, 이성적으로 행동해야만 손해보지 않는 세상 속에서 살아가기 때문이다.

마음은 정념의 근원이기에 억누른다고 제어할 수 있는 존재가 아니다. 그렇다면 번뇌를 극복하려면 생각을 제어하는 편이 현실적으로 실행 가능성이 높다. 마음과 갈등 빚지 않도록 생각을 유인하는 법은 의외로 쉽다. 생각 자체를 하지 않는 거다. 머릿속이 시끄럽지 않으면 마음도 시끄러울 일이 없다. 정념을 방해하는 이성이 존재하지 않기 때문이다.

하지만 합리적 사회를 살아가는 우리는 숨 쉬는 시간의 대부분은 이성적으로 사고해야 한다. 우리의 정념은 늘 합리적이지 않아, 손해보기 일수이기 때문이다. 따라서 생각 자체를 하지 않고, 정념에 따르는 삶을 산다는 건 용기가 필요한 일이다. 어쩔 수 없이 번뇌에 친숙한 삶을 살아야하는 우리는 그래서 매일 밤마다 술을 아가타라 부르며 술잔을 채우나보다. 술은 정념에 따를 용기를 주니까. 메러리스와 데릭이 그러하였고, 미조와 선우가 그러하였듯이.

어차피 드라마는 계획대로 되지 않아

대한민국에서 잘 나가는 드라마 작가를 꿈꾸는 사람은 몇이나 될까. 작가 지망생이라면 묻지도 따지지도 않고 가입한다는 인터넷 카페 〈기승전결 작가그룹〉의 회원 수만 해도 11만 5천 명이다. 이 카페에 가입하지 않은 지망생들까지 고려해 본다면 적어도 12만 명은 되지 않을까?

성공한 드라마 작가를 꿈꾸는 사람은 이렇게 많은데, 실제로 대중들이 알고 있는 드라마 작가들은 다섯 손가락에 꼽힌다. 그만큼 작가로서 성공하는 일은 매우 어려운 일이다. 그 사실을 모르는 반푼이는 아마 흔치 않을 테다. 하지만 낭만을 꿈꾸는 사람들의 인생은 대개 '그럼에도 불구하고'라는 말로 요약되지 않는가. 나 또한 그렇다. 분명 작가로서 성공할 확률이 희박하다는 걸 잘 알지만, 작가라는 꿈을 꾼다. 그러나 우리가 살아가는 곳은 꿈이 아닌 현실이고, 인생은 절대 계획대로 되지 않는다. 드라마 대본을 쓰기 위해 큰맘 먹고 구입한 노트북으로 에세이 원고를 쓰는 나처럼 말이다.

지난 겨울, 제작사에서 도망친 이후로 아주 오랜만에 휘와 리를 만났다. 우리는 서로의 근황을 물었다. 휘는 다른 작가님의 밑으로 들어가 어느 때보다 바쁘게 보조작가로서 일하는 중이었다. 한편 리는 어린 나이인 만큼 다양한 경험을 쌓기 위해 전국 방방 곳곳을 돌아다니고 있었다. 두 사람은 나에게 물었다. 너는 어떻게 지내? 그 물음에 나는 머쓱하게 답했다. 나 사실은 에세이 쓰고 있어.

사실 에세이를 쓰기로 마음 먹은 건 꽤 오래 전의 일이다. 에세이 출간을 통하여 작품 활동을 하겠다는 목적은 아니었다. 그 무렵의 나는 내가 누구인지에 대해 알고 싶었다. 좋아하는 건 무엇이고, 싫어하는 건 무엇인지. 어떤 일에 기뻐하며 분노하는지. 내가 쓰고 싶은 건 드라마지만, 이를 위해서는 나 자신과 더불어 끝내 내가 쓰고 싶은 이야기가 무엇인지 알아야만 했다. 그래서 에세이를 써야겠다 결심했다. 드라마 집필이 내가 만든 캐릭터의 인생을 탐구하는 일이라면, 에세이는 내 자신의 인생을 탐구하는 일이었으니까.

작가교육원 기초반을 수료한 스물 넷, 처음으로 에세이를 쓰기 시작했다. 강제성이 없으면 절대 쓰지 않으리란 걸 잘 알고 있었다. 그래서 글ego 출판사에서 운영하는 책 쓰기 프로젝트를 신청했지만, 결론부터 말하자면 그때의 나는 원고를 완성하지 못했다. 피 같은 월급의 4분의 1이나 헌납했으면서 최종 원고를 넘기지 못한 이유가 무엇이냐. 바로 나의 얄팍한 완벽주의 성격이 문제였다.

완벽주의. 보기에는 얼마나 프로페셔널한 느낌을 주는 듬직한 단어인가. 그러나 내가 본 완벽주의자들은 전부 듬직함과는 거리가 멀었다. 완벽주의를 추구하는 이들의 일상은 항상 불안에 젖어있었다. 지금 하고 있는 일이 내가 세운 계획대로 흘러가지 않으면 어떡하지. 결과물이 내 기대에 못 미치면 어떡하지. 완벽하지 못한 내 모습을 보며 주변에서 손가락질하면 어떡하지. 아직 일어나지 않은 일에 대한 걱정으로 매 순간 신경을 곤두세웠다.

물론 나도 다르지 않았다. 작가교육원 기초반을 수료하기 위해 단막극을 쓰던 무렵, 문장 하나 하나를 쓸 때마다 뇌 세포 하나 하나가 예민해졌다. 한 번은 거실에서 들려오는 치킨 담긴 비닐봉투의 바스락 거리는 소리에도 짜증내며 소리를 왁 지르기도 했다. 그러자 평생자기 음식을 나눠주지 않던 오빠가 내 눈치를 보며 "치킨 먹을래?"라고 묻지 않는가. 그때의 나는 극도로 예민한 상태였기 때문에 "안 먹어!"라고 퉁명스럽게 답했지만, 돌이켜보면 성질 더러운 나를 참 많이 봐줬구나 싶어 미안하다.

그러나 가족과 달리, 출판사는 내 더러운 성질을 받아줄 수 없다. 물론 나 또한 출판사에게 성질 부릴 수 없는 법이다. 출판사와 나는 어디까지나 공적 관계에 불과하니까. 불행히도 나의 얄팍한 완벽주의는 공과 사를 가리지 않았다. 그래서 에세이 원고를 미처 완성하지 못했고, 나는 첫 에세이 출간 계획은 완전히 좌절되었다. 그때부터 번뇌가 찾아왔다. 번뇌의 근원지는 나의 재능에 대한 의심이었다. 돈 내고도 글을 완성하지 못하는 내가 작가하겠다고 설치는 게 맞는 걸까. 원고를 완성하지도 못했다는 자괴감으로 매일 밤을 설쳤다.

실패는 성공의 어머니라고 하지만, 나는 그 말을 싫어한다. 성공보다 실패한 경험이 수두룩한 탓일까. 그저 배부른 소리로박에 들리지 않는다. 만약 성공의 어머니가 실패라는 말이 사실이라면, 아마도 나의 실패들은 죄다 무난자증인가 보다. 시도는 죽어라 하는데, 도통 자식을 얻지 못한다. 빌어먹을. 그렇지만 무난자증도 임신할 확률이 아예 없는 건 아니다. 무난자증 같은 질환을 앓는 사람을 위해 난임 센터도 운영하고 있지 않는가. 아니 부(不)를 쓰는 불임(不姙)과 달리, 난임(難姙)은 어려울 난(難)을 사용한다. 즉, 임신이 불가능한 게 아니라 어렵다는 거다. 어쩌면 나의 실패들은 정말로 무난자증이라서 성공이라는 아이를 갖는 게 힘들 수 있다. 하지만 아예 불가능한 건 아니다.

동화 〈엄지공주〉에서는 아이를 갖지 못한 여자 하나가 나온다. 여자는 숲 속에 사는 요술 할머니를 찾아가 아이를 갖게 해달라며 애원한다. 그러자 요술 할머니는 아주 작은 씨앗을 하나 주며 정성껏 키우라고 한다. 요술 할머니의 의도를 알 수 없지만, 어쨌든 여자는 그녀의 조언대로 씨앗을 양지 바른 곳에 심고, 매일 물을 주며 씨앗을 정성껏 돌보았다. 이내 씨앗은 꽃봉오리를 맺었고, 여자는 꽃봉오리 안에 잠들어 있는 엄지 공주를 마주한다. 요술 할머니를 만나러 갈 정도로 간절히 아이를 원했지만, 그녀는 정말로 제 인생에 아이가 생길 줄은 몰랐을 테다. 하지만 간절한 염원은 그녀에게 엄지공주라는 기적 같은 선물을 안겨주었다. 어떻게 보면 엄지공주는 여자의 인생 계획에는 전혀 없었던 존재다. 하지만 그녀의 계획보다 훨씬 놀랍고 아름다운 일 아닌가.

세상은 계획대로 되지 않는다. 그 사실이 비참할 때도 있다. 하지만 비참한 만큼보다 훨씬 더 감동적인 순간을 맞이할 때도 분명히 존재한다. 월급도 제때 받지 못한 채, 제작사에서 시키는 일이라면 뭐든지 해내야 했던 휘와 리, 그리고 내가 저마다의 꿈을 찾아가는 것처럼. 더불어 에세이 원고 6페이지도 채우지 못해, 밤마다 울음 터트리던 내가 에세이 한 권을 집필한 것처럼.

드라마 첫 습작품을 썼을 때를 떠올린다. 분명 처음부터 끝까지 내가 설계한 내용인데, 왜 그리도 내 마음대로 써지지 않는지. 분통함을 못 이겨 키보드를 쾅쾅 내려치기도 했다. 지금 생각해보면 계획대로 써지지 않는 게 당연하다. 내 인생도 계획한 대로 되지 않는데, 드라마 캐릭터의 인생이라고 별반 다르겠는가. 이제는 내 마음대로 되지 않는다한들, 조급해 하지 않는다. 오히려 흘러가는 대로 내버려둔다. 혹시 모르지 않는가. 내가 생각한 것보다 더 멋진 인생을 살아갈지.

관절 아픈 영감님은 십리도 못 오고

예술가하면 반드시 뮤즈(Muse)라는 단어가 뒤따라온다. 뮤즈, 서
양권 국가에서 흔히 영감을 가져다주는 존재를 일컫는 말. 이는 그
리스 로마 신화에서 음악 등의 예술 분야를 관장하는 여신들을 가
리키기도 하다. 비극을 담당하는 멜포메네(Merpomene), 서정시
를 담당하는 에라토(Erato), 음악을 담당하는 에우테르페(Euterpe),
천문을 담당하는 우라니아(Urania), 서사시를 담당하는 칼리오페
(Kalliope), 역사를 담당하는 클레이오(Klieo), 희극을 담당하는 탈
리아(Thalia), 합창가무를 담당하는 테르프시코레(Terpsichore), 찬
가를 담당하는 폴리힘니아(Polyhymnia)까지. 저마다의 예술 관련
분야를 맡고 있는 아홉 여신 뮤즈는 주로 신화 속에서 예술의 신, 아
폴론의 시중을 드는 모습으로 나타난다.

뮤즈들이 미술, 음악, 문학과 더불어 천문학까지 광범위한 영역을
관장하는 것처럼 우리는 다양한 부분에서 영감을 얻는다. 출근길 횡
단보도에서 마주한 비둘기 군단부터 해서, 뜬금없이 자기 생일 축하
해달라며 연락 온 친구, 심지어는 긴 발톱 때문에 구멍이 난 양말까
지... 하지만 예술을 꿈꾸는 지망생들은 이러한 작은 영감이 아니라,
피카소나 고흐처럼 역작을 만들어 낼 대단한 영감이나 뮤즈를 만나
고 싶어 한다.

모 언론 사이트에서 에디터로 활동하던 때가 있었다. 주마다 정해

진 횟수만큼 예술 문화 관련 오피니언을 기고해야만 했는데, 매주 쓸 만한 글감이 없어 머리만 쥐어뜯다가 탈모 위기를 겪었던 기억이 있다. 그래서 언론사에서 취재 가능한 행사를 공유해주면, 글감을 얻기 위해서 아주 꼼꼼히 리스트를 챙겨보았다. 그 리스트에는 공연, 전시회 뿐만 아니라 외부 강사를 초빙한 강연도 종종 있었다.

한 번은 '신화 속 인물을 기반으로 한 캐릭터 창작'이라는 타이틀로 강연이 계획되어 있었다. 드라마 작가를 준비하는 나에게는 구미가 안 당길 수 없는 주제였다. 적지 않은 참석비를 내야만 했지만, 궁금해서 안 갈 수 없었다. 일말의 고민도 없이 강연을 신청했다. 참석비까지 납부한 뒤에서야 '혹시라도 이상한 강사를 초빙해서 사이비 종교를 권유하면 어떡하지?'라는 걱정이 들었지만... 다행히도 초빙된 외부 강사는 매우 정상적인 사고를 가진, 드라마 작가 출신의 스토리텔링 마케터였다.

강사님이 드라마 작가로서 활동한 경력이 있어서일까. 강연은 주로 드라마 작법에 적용하기 좋은 스토리텔링 기법을 중심으로 이루어졌다. 그러다 보니 언론사 에디터로 참석했지만, 나의 신분을 점점 잊어버렸다. 이내 강연의 막바지에 다다라, 질의응답 시간을 맞이할 때는 영락없는 드라마 작가 지망생의 모습이 드러났다. 나는 번쩍 손 들어 질문했다.

"저도 작가님처럼 좋은 작품을 쓰고 싶은데요. 어떻게 해야 좋은 영감을 얻을 수 있을까요?"

그러자 강사님은 답했다.

"그냥 많이 쓰세요. 영감님은 관절 아프셔서 못 옵니다."

순식간에 강연장은 사람들의 웃음소리로 가득 찼다. 나는 몰려오는 민망함을 애써 감추고, 멋쩍게 따라 웃었다. 그 당시에는 강사님의 말이 단순히 농담이라고 생각했는데, 지금 생각해보면 그만큼 명쾌한 답이 또 없다. 영감님은 관절 아파서 오지 못 한다.

예술은 주로 작가 자신만의 확고한 세계가 두드러지는 결과물을 내놓아서일까. 대부분의 사람들은 예술에 진입장벽을 느끼며, 대단히 거창하게 여기는 경향이 있다. 그래서인지 예술가의 작업 과정은 보통의 노동자와는 다를 거라고 생각하는데, 실상은 전혀 다르다. 사무실에 출근한 회사원이 모니터 앞에 앉아 그날에 주어진 일을 해치우듯, 작업실에 출근한 예술가도 원초의 재료를 앞에 두곤 정해둔 할당량을 해치운다. 그것이 죽이 되든 밥이 되든 말이다. 이게 맞나. 내가 원한 결과물은 이런 게 아니었는데. 그냥 때려우치고 다시 시작할까... 머릿속에는 나름 예술가로서의 고충으로 가득하지만, 그렇다고 드라마나 영화에서처럼 터프하게 작업물을 내던질 수는 없다. 그들에게는 클라이언트가 정해준 데드라인이 있으니까. 매일 가방 한편에 사직서를 품고 출근길에 오르는 회사원처럼, 이들도 마음 한편에 계약서를 찢을 용기를 품고 다닌다. 그러나 생계 때문에 차마 이 일을 때려치울 수 없다. 지금까지 밥 먹고 해 온 일이 이것뿐이라 어쩔 수 없다.

그래서 영감이 오는 순간을 기다릴 수가 없다. 아주 운 좋게 숨이 붙어있을 무렵에 대단한 영감이 찾아온다한들, 그때는 이미 나를 찾는 클라이언트는 존재하지 않는다. 이 좁은 땅에는 인재가 너무 많으니까! 예술을 꿈꾸는 젊은 인력은 지금 이 순간에도 계속 나타나고, 심지어 우직하게 작업을 해낼 의지와 체력도 있다. 심신이 낡은 나에게 천하의 피카소도 탐낼 '영감'이 찾아온다한들, 명함 내밀 기회조차 없을 테다. 아마 그때의 나와 컨택하려는 클라이언트가 있다한들, 내 영감의 저작권을 본인들에게 팔라고 제안하려는 확률이 훨씬 높다.

언론사에서 주최한 강연을 마치며, 강사님은 이렇게 말했다. 꿈을 꾸되, 직업을 버리지 마세요. 그 말을 하는 강사님의 표정이 사뭇 진지했는데, 그 이유를 이제 어렴풋 알 것 같다. 유독 대한민국에서 예술은 저평가되는 노동이다. 타고난 재능으로 돈 버는 행위가 괘씸하다는 게 사회의 암묵적 의견 같다. 그러나 예술은 타고난 재능만으로 일확천금을 버는 경우는 거의 드물며, 대다수의 예술가는 꾸준한 노력으로 재능을 키워내며 생계를 이어간다.

호랑이가 담배피던 시절에는 예술이 가난에서 나온다고 누군가 그랬다. 하지만 요즘 시대에는 아니다. 헝그리 정신이고, 뮤즈고, 다 필요 없고 체력이 필요하다. 예술은 노동이다. 건강한 육체에서 건강한 정신이 갖춰지고, 그래야만 예술이라는 노동을 통해 돈을 벌 수 있다. 특히나 예술은 수입 양극화가 심한 직종이다. 소수의 잘 나가는 예술가는 집구석에 썩어날 정도로 돈을 벌어들이지만, 대다수의 예술가는 이번 달 내야 하는 월세부터 심지어는 내일 먹을 쌀과 김치를 걱정해야 할 정도로 궁핍하다. 드라마 업계만 봐도 그렇다. 2015년 7월까지 집계된 드라마 출연료 미지급 액수만 해도 총 26억 2천만 원. 잘 나가는 스타의 몸값은 나날이 올라가고, 조연과 단역 배우들이 출연료 받을 확률은 점점 낮아진다. 호시탐탐 가난한 예술가의 간을 빼먹기 위해 기회를 엿보는 사회, 이런 세상에서 우리는 어떻게 살아야 할까. 가장 먼저 해야할 건 체력 키우기다. 체력이 없으면 예술은 물론이거니와, 그 어떤 일도 할 수 없다.

예술은 체력이 필요한 노동이다. 여기서 체력은 육체적인 힘을 말하기도 하지만, 마음의 힘을 가리키기도 한다. 우리가 아는 예술가들의 뮤즈는 전부 그들이 사랑한 존재들이었다. 즉, 무언가를 사랑할 때 작품의 영감이 찾아온다. 그러니 예술을 하고 싶다면, 많은 존재를 마음껏 사랑할 수 있는 체력을 길러야 한다. 그게 예술가가 이 사회에서 오래 살아남는 방법이다.

거짓말로 시작된 사랑도 진실할 수 있을까

최종 원고를 넘기기로 한 당일 새벽이다. 계획대로라면 자정에 이미 A4 기준 60페이지 분량의 원고를 업로드하고, 이미 잠에 취해 있어야 했다. 하지만 역시 인생은 계획대로 흘러가지 않는다. 시간은 벌써 3시를 가리키고, 내 원고는 이제 55페이지였다. 정말 이런 사람이 작가여도 괜찮은 걸까. 난 역시 글쓰기를 좋아하는 게 아니라, 작가 노릇을 좋아하는 게 아닌지. 스스로에 대한 불신이 피어오른다.

편성 회의를 앞두고, 모의 리딩을 가진 적이 있었다. 편의상 리딩이었지 실은 신인 작가와 신인 배우들이 하는 스터디에 불과했다. 작가님은 배우들이 직접 연기하는 걸 보면서 대본을 고치고, 배우들은 연기 연습 겸 제작사 관계자들에게 눈 도장 찍는, 누이 좋고 매부 좋은 협력이었다. 리딩에 참여한 배우들은 아직 유명세를 떨치지 못한 신인들이었지만, 그렇게 잘생기고 예쁜데 끼도 많은 사람들은 처음 보앉기에 내심 신기했다.

그 중에서 가장 눈에 띄던 사람은 웹드라마에서 종종 나오는 동갑내기 남자배우 하군이었다. 프로필 사진을 보았을 때는 평범한 인상이었는데, 실제로 보니 눈이 정말 예뻐서 놀라움을 감추기 어려웠다. 이 일을 좋아하는 게 눈빛에서 온전히 느껴졌다. 연기에 대한 간절함이 외적으로 드러나서였을까. 하군에게 주어진 배역은 남자주인공도, 그렇다고 서브주인공도 아닌 조연급이었는데, 그 리딩에 참석했던 모든 배우들 중에서 가장 인상 깊은 연기를 펼쳤다. 그곳에는 지상파 드라마에 출연하는 배우분도 계셔서 객관적으로 가장 연기를 잘했다고는 말하기 어려웠지만, 주관적으로는 가장 마음에 드는 연기였다.

재능이 있어서 이 일을 좋아하는 걸까. 아니면 이 일이 좋아서 재능을 가꾼 걸까. 그러한 의문이 든 건 그때부터였다. 누군가 일하는 나를 보았을 때, 과연 나도 저런 모습이었을까. 문득 피어난 물음에 난 아니라는 답만 확실하게 내놓을 수 있었으니까.

인생 처음으로 쓴 드라마 습작품은 〈사모의 시대〉라는 시대극이었다. 배경은 연애의 시대라고 불리던 1920년 초반. 그 시절이 그렇게 불렸던 이유는 독립에 대한 희망이 저물어 가고, 연애로 현실을 회피하려 했던 조선인들이 급증해서였다. 주인공 태산은 그런 시대임에도 독립을 꿈꿔 이중 밀정을 자처한 사람이었다. 대업을 위해 친일파 구명환의 딸 윤이에게 접근한 태산. 그는 사모(詐冒, 거짓으로 속임)

를 위해 윤이에게 사랑에 빠진 척하였지만, 끝내 윤이를 진심으로 사모(思慕, 애틋하게 생각하고 그리워함)하게 된다. 이렇게만 읽으면 꽤 그럴싸하지만, 실제로는 내용이 조잡하다. 퇴고하면서 특히나 그런 생각을 많이 했던 것 같다. 태산은 정말 윤이를 사랑한 게 맞을까? 거짓말에 세뇌되어, 거짓을 진실로 여기는 삶을 살게 된 게 아닌가. 거짓말로 시작된 사랑도, 감히 사랑이라 할 수 있을까.

그러다 어느 날, 문득 나 또한 태산과 다를 바 없는 게 아닐까 의심이 들었다. 주변 사람들에게 작가가 되겠다고 떠벌려 놓은 말 때문에, 거짓으로 시작된 꿈이 아니었을까. 나는 어릴 때부터 드라마 작가가 되겠다고 외치고 다녔다. 간절한 염원에서 나온 말은 아니었다. 그저 단순히 어린 나이부터 확고한 꿈이 있다는 모습이 멋져 보였고, 나는 꽤 멋진 사람이 되고 싶었기 때문이었다 그런데 정신차려 보니 드라마 보조작가로 일하고 있었다. 서동요 기법이 괜히 나온 말은 아니구나 싶었다.

신라 향가 〈서동요〉 속, 선화공주를 꾀어내기 위해 당시 적국이었던 신라의 수도에 잠입한 서동은 자신이 가지고 있는 마을 아이들에게 나눠주며 노래 부르게 했다. 그래서 이 노래는 서동의 꾐에 넘어간 아이들도 부르고, 어른들도 불러 당시 신라의 수도에서 최신 유행가가 되었을 것이다. 이 노래에는 관음증을 자극함과 동시에 지배층을 조롱하는 질시가 담겨 있다. 시장 거간꾼과 주막 등지에서 이 노래는 불에 기름을 부은 듯이 번져갔을 것이다. 그래서 이 노래와 그로 인해 발생한 유언비어 때문에 선화공주는 신라의 선량한 백성은 물론 대신들로부터 비난을 받고 왕의 노여움을 샀을 것이다. 결국, 왕가의 도덕성 실추에 관한 막중한 책임을 지고 선화공주는 쫓기듯이 신라왕궁을 떠나야 했을 것이다. 그리고 궁궐 밖에 나온 선화공주는 서동과 운명처럼 마주하고, 끝내 결혼에 골인한다. 서동 때문에 자신이 신라왕궁에서 쫓겨난 것을 알고 있으면서도.

여기서 선화공주는 서동과 왜 결혼한 걸까? 단순히 갈 곳이 없어서인가. 하지만 내가 선화공주였다면 차라리 복수했지, 울며 겨자 먹기로 결혼하지는 않았을 테다. 선화공주가 굳이 서동과 결혼한 이유는 아마 그에게 있었을 것이다. 서동은 선화공주의 마음을 울리는 행동을 취했을 게 분명했다. 행동을 한 의도? 그건 서동만 알 것이다. 나라를 집어 삼켜 먹으려는 야망일 수도, 아니면 〈사모의 시대〉 속 태산처럼 거짓말로 시작된 사랑이 진실로 변했을 수도 있겠지. 어쩌면 말(言)과 변화 화(化)로 이루어진 거짓(訛)이라는 한자처럼, 신분상승의 야심을 품던 서동은 입 밖으로 꺼낸 자신의 말에 세뇌되어 마음이 바뀌었을 수도 있겠다.

언젠가 거짓으로 사랑을 고백한 적이 있다. '철없다'라는 말에 사용되는 철이 원소 철(Fe)인 줄 알았던 초등학교 시절이었다. 당시 나는 죽마고우 예와 함께 남자애들을 놀리는 일에 폭 빠져있었다. 가장 즐겼던 놀이는 '가짜 연애편지 보내기'였다. 평소에 놀리고 싶었던 남자들을 표적으로, 오랫동안 좋아했다며 내일 하교 후 운동장에 나와달라는 내용의 가짜 연애편지를 작성해 사물함에 넣어두는 놀이었다. 설렘에 한껏 상기된 얼굴로 운동장에 나온 남자애들을 보며 우리는 실컷 즐거워했다. 지금 생각해보면 사람 마음을 가지고 논다는 점에서 상당히 악질적이었으나, 그때는 인지하지 못했다.

어느 날은 같은 반 친구였던 초를 표적으로 삼았다. 초는 예의 오랜 앙숙이었던 만큼 가짜 연애편지를 쓰는 일에 상당히 공들였다. 오빠 친구를 좋아하던 예와 달리 누군가를 좋아한 적은 없지만, 만약 내가 짝사랑한다는 가정하에 열심히 머리 굴리며 편지 쓰기에 동참했다. 난 네가 웃을 때 눈꼬리가 반달처럼 접히는 점이 좋아. 어려운 수학 문제를 쉽게 푸는 모습에 반했어. 너랑 시내에 가서 디스코 팡팡도 타고, 돈가스도 같이 먹고 싶어… 진실성을 부여하려고 일부러 사소한 순간 하나하나를 언급하며 사랑 고백하고, 초등학생 용돈 예산으로 실행 가능한 데이트 계획을 제시했다. 내 아이디어로 구성된 편지를 읽은 예는 감탄했다.

"야, 누가 보면 진짜 초를 좋아하는 줄 알겠어!"

예의 말 한마디에 가슴이 쿵 내려앉던 이유를, 그때는 몰랐지만, 지금은 안다. 가짜 연애편지를 쓰면서 나는 진심으로 초에게 반해버린 거였다. 편지 내용을 쓰기 위해 초를 관찰하다 보니, 단점보다 장점이 더 많이 보였다. 그러니 좋아하지 않을 수 없었다. 그러나 졸업하는 날까지 아무에게도 이 마음을 고백할 수 없었다. 그 애를 좋아하는 게 예를 배반하는 일이라 생각했기 때문이었다. 입에 담지 않으면 잊힐 거로 생각했다. 특별한 계기 없이 쉽게 형성된 마음이니, 쉽게 식을 줄 알았던 거다. 하지만 그건 내 착각이었다. 고등학교 1학년, 옆 학교에 진학했다는 초의 소식을 들은 내 마음이 흔들리는 게 느껴졌다. 당시 나는 한 달째 사귄 남자친구도 있었는데도 말이다. 흐릿한 기억 속 유난히 선명하게 떠오르는 초의 미소에 가슴이 쓰렸다. 스쳐 지나가는 마음인 줄 알았는데, 어린 나이에 한 사랑이라 한들 전부 풋사랑은 아니었던 거였다.

초를 다시 만난 건, 그로부터 6년 후였다. 그날은 작가 교육원 동기 언니들과 함께한 부산 여행의 일정을 모두 마친 날이었다. 광주로 돌아가는 고속버스 안에서 초를 발견한 순간, 숨이 턱 막혔다. 젖살이 빠졌는지 내 기억 속의 얼굴과는 많이 달랐지만 한눈에 알아볼 수 있었다. 여자친구에게 보여주는 미소만큼은 어릴 적 모습과 똑같았으니까.

부산에서 광주까지는 4시간 넘게 걸렸는데, 하필 초가 앞자리에 앉는 탓에 한숨도 잘 수 없었다. 이어폰에서 흘러나오는 노래를 들으며 자는 시늉을 해보았지만, 온 신경은 초에게로 향했다. 혹시라도 나를 알아보지 않을지 한참 조마조마했던 기억이다. 기대와 불안이 적절하게 섞인 떨림이었다. 그러나 내심 기대가 더 컸던 걸까. 끝끝내 버스에 내릴 때까지 나를 알아보지 못한 초에게 못내 아쉬움이 남았다. 오랜 첫사랑이 막을 내린 그날 배웠다. 거짓말로 시작된 사랑도 진실할 수 있다는 사실을.

일본에는 '언령(言靈)'이라는 신앙이 있다. 말에 영적인 힘이 깃들어 있다고 믿는 것이다. 이 신앙을 독실하게 믿는 건 아니지만, '말에 힘이 있다'라는 요지는 상당히 신뢰한다. 하지만 모든 말에는 힘이 있다고 보지 않는다. '사람(亻)'과 '말(言)'이 합쳐져서 '믿을 신(信)'이 만들어지듯, 사람의 말에는 믿을 만한 구석이 있어야 한다. 그리고 믿을 만한 말을 하려면, 사람 인(人)이 부수로서의 사람(亻)으로 변하듯 '사람'이 직접 움직여야 한다.

작가가 되고 싶은 걸까, 작가라는 명예를 얻고 싶은 걸까. 학창시절에는 진로 희망서에 망설임 없이 '드라마 작가'라고 썼지만, 점차 나이를 한두 살 먹어가면서 자신에게 간절함이 느껴지지 않아 혼란스러웠다. 작가 지망생이라고는 말하지만 제대로 된 습작품 하나 없고, 그렇다고 책이나 드라마를 많이 접하지도 않았으니 말이다. 하지만 주변 사람들에게 떠벌려 놓은 게 있으니 체면치레는 해야만 했다. 그렇게 무작정 서울에 올라와 보조작가 생활을 시작했지만, 예상보다 보조작가 생활은 즐거웠다. 임금 체불을 당해도 좋으니, 이 일을 계속하고 싶다는 어리석은 마음이 들 정도로 말이다. 단순히 작가라는 명예를 얻고 싶었다면, 그런 상황에서 글 쓰는 일이 즐거울 리 없었다. 어쩌면 나의 윤이자 선화공주는 '작가'라는 직업인지도 모르겠다. 처음에는 그저 신분상승의 수단으로 이용하려 했지만, 언젠가부터는 내 모든 것을 맞바꿔서라도 지키고 싶어졌으니까.

한 달 전, 내가 테스트용 원고를 썼던 일일 드라마가 방영했다. 혹시나 하는 기대감에 젖어 내가 테스트용 원고를 작성한 47회를 찾아보았다. 당연히도 내가 새로 집필한 내용은 전부 나오지 않았다. 다만 이전 화랑 연결되는 첫씬의 첫 지문, 그 딱 한 줄이 그대로 나오더라. 내가 타이핑한 지문으로, 화면 속 배우는 누구보다 진실된 거짓을 연기하였다. 그 모습을 보자니 가슴이 울렁였다. 지문 하나로도 이런데... 내가 쓴 대사가, 아니 이야기가 영상화되면 얼마나 짜릿할까?

우리는 수많은 엔딩을 보고 자란다. 프로포즈와 함께 끝나는 로맨스 드라마, 복수를 마친 리벤지 드라마, 미스터리를 모두 해결하고 일상으로 돌아오는 미스터리 드라마... 이따금 궁금해질 때가 있다. 내 인생이 드라마라면, 나는 어떤 엔딩을 맞이할까. 인생은 계획대로 되지 않고, 내가 쓰는 드라마도 내 마음대로 써지지 않는다. 하지만 상상은 해볼 수 있지 않은가.

그러니, 드라마 작가로 맞이하는 내 인생의 엔딩을
오늘도 확고하고 구체적이게 상상한다.

망생에서 회생까지

발행 2024년 05월 05일

지은이 임주현

디자인 조미진

펴낸이 정원우

펴낸곳 글ego

출판등록 2019.06.21 (제2019-000227호)

주소 서울시 강남구 강남대로 118길 24 3층

이메일 writing4ego@gmail.com

홈페이지 http://egowriting.com

인스타그램 @egowriting

ISBN 979-11-6666-491-5